DaF
im
Unternehmen B1

Intensivtrainer
Grammatik und Wortschatz
für den Beruf

Ilse Sander
Stefan Fodor
Regine Grosser
Klaus F. Mautsch
Eva Neustadt
Daniela Schmeiser

Ernst Klett Sprachen
Stuttgart

Symbole in DaF im Unternehmen B1
Intensivtrainer Grammatik und Wortschatz für den Beruf:

 Hinweis, dass hier bekannter Stoff wiederholt wird

› KB: A Verweis im Unterkapitel „Wortschatz und Schreiben"
auf passende Doppelseite im Kursbuch, hier Doppelseite A

› KB: B2 Verweis im Unterkapitel „Grammatik" auf passende
Aufgabe im Kursbuch, hier Doppelseite B, Aufgabe 2

› ÜB: D2 Verweis im Unterkapitel „Grammatik" auf passende
Aufgabe im Übungsbuch, hier Doppelseite D, Aufgabe 2

› B: G7 interner Verweis auf Basiskapitel, hier Unterkapitel
„Grammatik", Übung 7

› K1: W4 interner Verweis auf Kapitel 1 bis 10, hier Kapitel 1,
Unterkapitel „Wortschatz und Schreiben", Übung 4

1. Auflage   1 ³ ² ¹ | 2019 18 17

Autoren: Ilse Sander, Stefan Fodor, Regine Grosser, Klaus F. Mautsch,
Eva Neustadt, Daniela Schmeiser
Fachliche Beratung: Andreea Farmache, Udo Tellmann

Redaktion: Angela Fitz-Lauterbach
Layoutkonzeption und Herstellung: Alexandra Veigel
Gestaltung und Satz: Franzis print & media GmbH, München
Illustrationen: Juan Carlos Palacio, Bremen
Umschlaggestaltung: Francesca Berti
Reproduktion: Meyle + Müller GmbH + Co. KG, Pforzheim
Druck und Bindung: www.longo.media
Printed in Italy

978-3-12-676454-4

DaF im Unternehmen B1
Intensivtrainer Grammatik und Wortschatz für den Beruf

Inhalt und Zielgruppe

Der **DaF im Unternehmen B1 Intensivtrainer Grammatik und Wortschatz für den Beruf** trainiert kleinschrittig den Wortschatz und die Grammatikthemen aus **DaF im Unternehmen B1 Kurs- und Übungsbuch** und fördert die Schreibkompetenz durch Übungen zu spezifischen sprachlichen Mitteln in beruflichen Situationen. Darüber hinaus bietet der Intensivtrainer zahlreiche Übungen, mit denen man Grundlagen von Grammatik und Wortschatz aus A1 und A2 wiederholen kann. Durch die gezielte Einbettung der Wortschatz-, Schreib- und Grammatikübungen in berufliche Kontexte wird der berufssprachliche Wortschatz ständig umgewälzt und so gefestigt. Dies bietet Lernenden, die bisher schwerpunktmäßig allgemeinsprachliches Deutsch gelernt haben, einen schrittweisen Einstieg in das berufssprachliche Deutsch und Lernenden, die bereits berufssprachliches Deutsch gelernt haben, die Möglichkeit, bekannte sprachliche Muster gezielt zu wiederholen.

Der **Intensivtrainer B1** ist perfekt für Lernende geeignet, deren Deutschunterricht etwas länger zurückliegt oder die sich den A1- und A2-Stoff noch nicht ausreichend angeeignet haben und daher Grundlagen von A1 und A2 im berufssprachlichen Kontext wiederholen wollen. Außerdem ist der Intensivtrainer für Lernende gedacht, die den Wortschatz- und Grammatikstoff über das Angebot im Kurs- und Übungsbuch von DaF im Unternehmen B1 hinaus üben wollen. Da der Intensivtrainer zur Wiederholung und Vertiefung im Unterricht sowie zur Binnendifferenzierung eingesetzt werden kann, eignet er sich zum Einsatz in allen berufssprachlich orientierten Kursformen an Schulen, Sprachschulen, Universitäten oder von Unternehmen sowie in den Berufssprachkursen des BAMF (DeuFö). Der Intensivtrainer kann zudem für das Selbststudium verwendet werden.

Aufbau

Der **DaF im Unternehmen B1 Intensivtrainer Grammatik und Wortschatz für den Beruf** umfasst ein Basiskapitel und 10 Kapitel, die in der Grammatikprogression und im Wortschatz genau auf die 10 Lektionen in **DaF im Unternehmen B1 Kurs- und Übungsbuch** abgestimmt sind. Im Anhang findet man alle Lösungen, damit die Lernenden ihre Lösungen auch selbst überprüfen können.

Das **Basiskapitel – Was ist was?** dient der Wiederholung von ausgewählten Grundlagen: zum Wortschatz (z. B. Wortarten, Geschlecht, Pluralbildung) und zu Strukturen (z. B. Satzbau, Deklination und Konjugation, Zeiten). Das Basiskapitel kann am Anfang eines Kurses am Stück behandelt werden. Man kann es aber auch überspringen und nur dann, wenn sich im Laufe des Unterrichts Fragen ergeben, einzelne Themen im Basiskapitel gezielt aufgreifen und üben.

Die **Kapitel 1 bis Kapitel 10** orientieren sich zwar in der Progression an den 10 Lektionen im Kurs- und Übungsbuch B1, richten sich aber nicht nach dem Doppelseitenprinzip. Sie trainieren im Unterkapitel „Wortschatz und Schreiben" den zu den jeweiligen Lektionsthemen passenden Wortschatz und bieten zahlreiche Übungen zur Reflexion der Wortbildung und zur Förderung der Schreibkompetenz. Im Unterkapitel „Grammatik" findet man eine Fülle an Zusatzübungen zu den in der jeweiligen Lektion im Kurs- und Übungsbuch B1 behandelten Grammatikthemen. Dabei werden, wo sinnvoll und passend, die für das jeweilige Grammatikthema notwendigen Grundlagen aus A1 oder A2 wiederholt. Auf diese Weise werden die Lernenden bei ihrem Vorwissen abgeholt und wird ihnen der Zugang zum jeweiligen Lektionsstoff in DaF im Unternehmen B1 erleichtert.

Arbeiten mit DaF im Unternehmen B1 Intensivtrainer Grammatik und Wortschatz für den Beruf

💼 Ab Kapitel 1 sind die Übungen, die Stoff wiederholen, der aus A1 bzw. A2 bekannt sein dürfte, mit einem Koffersymbol gekennzeichnet. Dieses soll den Lernern signalisieren, dass hier Stoff geübt wird, zu dem sie bereits Vorkenntnisse in ihrem „Lerngepäck" mitbringen, der für sie also nicht völlig neu ist.

> **KB: A, B** Ab Kapitel 1 findet man im Unterkapitel „Wortschatz und Schreiben" bei allen Übungen einen Verweis auf die Doppelseite bzw. -seiten im Kursbuch, wo der jeweilige Wortschatz eingeführt wird bzw. eine Rolle spielt, hier z. B. auf die Doppelseiten A und B.

> **KB: B2** Im Unterkapitel „Grammatik" gibt es bei jeder Übung einen Verweis auf die passende Aufgabe im Kurs- bzw. Übungsbuch, hier z. B. auf die Aufgabe 2, Doppelseite B im Kursbuch.

Neben den Verweisen auf das Kurs- und Übungsbuch B1 gibt es auch interne Verweise auf Übungen in vorangegangenen Kapiteln im Intensivtrainer:

> **B: G7** Hier wird auf das Basiskapitel, Unterkapitel „Grammatik", Übung 7 verwiesen.

> **K1: W4** Hier wird auf das Kapitel 1, Unterkapitel „Wortschatz und Schreiben", Übung 4 verwiesen.

Mithilfe dieser internen Verweise ist es möglich, Stoff, der an dieser Stelle geübt wird und bereits in vorherigen Kapiteln vorkam, im Unterricht oder zu Hause zu rekapitulieren.

Viel Spaß und Erfolg beim Lernen mit **DaF im Unternehmen Kurs- und Übungsbuch B1** und mit dem **DaF im Unternehmen B1 Intensivtrainer Grammatik und Wortschatz für den Beruf** wünschen Ihnen das Autorenteam und der Verlag.

Inhaltsverzeichnis

Basiskapitel – Was ist was?

Wortschatz

1 Was ist was? Wortarten: Artikel / Nomen / Verb / Adjektiv / ...

Das bringe ich schon mit.

a Ordnen Sie die Wortarten den Wörtern zu.

> Adjektive | Adverbien | ~~Artikel~~ | Demonstrativartikel | Nomen | Personalpronomen | Possessivartikel | Präpositionen | Verben

1. *Artikel* : der, das, die, ein, eine, *dem,*

2. _____ : Beruf, Kollege, Chefin, Ausbildung, _____

3. _____ : fragen, notieren, besprechen, organisieren, _____

4. _____ : gut, schnell, freundlich, klein, _____

5. _____ : heute, bald, schon, unten, _____

6. _____ : er, sie, es, _____

7. _____ : mein, deine, seinem, ihrer, _____

8. _____ : dieser, diese, das, _____

9. _____ : auf, in, bei, zu, _____

b Ordnen Sie die Wörter den Wortarten in 1a zu.

> arbeiten | ~~dem~~ | den | diesen | dieses | einer | euer | gestern | ich | machen | mit | oben | schwer | Sie | Team | unpraktisch | unseren | Unternehmen | von

c Ordnen Sie die Wörter aus den Sätzen in die Tabelle.

1. Die Kollegin schreibt eine Anfrage.
2. Der Verkäufer antwortet dem Kunden.
3. Die Assistentin löscht eine Datei.
4. Ein Praktikant ordnet die Akten.

Artikel bestimmt	Artikel unbestimmt	Nomen	Verb
1. *Die*	*eine*	*Kollegin, Anfrage*	*schreibt*
2.			
3.			
4.			

d Zu welcher Wortart gehört das markierte Wort: a oder b? Kreuzen Sie an.

1. Wir bestellen 5.000 Kugelschreiber.   a. ☐ Nomen   b. ☒ Personalpronomen

2. Das Team braucht einen großen Besprechungsraum.   a. ☐ Adjektiv   b. ☐ Adverb

3. Das Angebot kommt morgen.   a. ☐ Adjektiv   b. ☐ Adverb

4. Das Meeting ist am Montag.   a. ☐ Nomen   b. ☐ Personalpronomen

5. Die Präsentation war sehr interessant.   a. ☐ Adjektiv   b. ☐ Adverb

6. Könnt ihr bitte schon am Vormittag kommen?   a. ☐ Nomen   b. ☐ Personalpronomen

e Lesen Sie die Sätze und schauen Sie die markierten Artikel an. Welcher Artikel ist es: bestimmter Artikel, unbestimmter Artikel, Negativartikel, Possessivartikel oder Demonstrativartikel? Notieren Sie.

1. Es gibt keine Probleme. → *Negativartikel*
2. Hier ist unser Büro. → *Possessivartikel*
3. Frau Peters arbeitet in der Marketingabteilung. → _____
4. Morgen haben wir keinen Termin frei. → _____
5. Nächste Woche fahre ich zu einer Konferenz. → _____
6. Dieser Termin passt mir sehr gut. → _____
7. Leider sind wir mit Ihrem Vorschlag nicht zufrieden. → _____

2 Das Adjektiv

a Vergleichen Sie immer die Sätze a und b: Wann hat das Adjektiv eine Endung, wann keine? Kreuzen Sie in der Regel an.

1. a. Das Angebot ist günstig.   b. Wir machen Ihnen ein günstiges Angebot.
2. a. Dieser Vorschlag ist sehr gut.   b. Das ist ein sehr guter Vorschlag.
3. a. Wir brauchen die Antwort schnell.   b. Vielen Dank für Ihre schnelle Antwort.
4. a. Das Team findet das Projekt wichtig.   b. Das Team hat ein wichtiges Projekt.

Ⓖ

1. Steht das Adjektiv vor einem Nomen, hat es	a. ☐ eine Endung.	b. ☐ keine Endung.	
2. Gehört das Adjektiv zu einem Verb, hat es	a. ☐ eine Endung.	b. ☐ keine Endung.	

b Lesen Sie die Sätze. Hat das Adjektiv eine Endung oder hat es keine Endung? Kreuzen Sie an und notieren Sie die Endung.

	Endung	keine Endung
1. In dem Geschäft gibt es viele preiswert_e___ Produkte.	☒	☐
2. Die Präsentation war sehr interessant_–___.	☐	☒
3. Die Besprechung dauert nur kurz_____.	☐	☐
4. Gestern hatten wir eine lang_____ Sitzung.	☐	☐
5. Das ist ein groß_____ Problem.	☐	☐
6. Dieses Werbegeschenk ist sehr beliebt_____.	☐	☐

3 Welche Wortart?

Lesen Sie die Sätze. Zu welcher Wortart gehört das markierte Wort: a oder b? Kreuzen Sie an.

1. Wir essen regelmäßig in der Kantine.   a. ☐ Nomen   b. ☒ Verb
2. Das Essen in der Kantine ist sehr gut.   a. ☒ Nomen   b. ☐ Verb
3. Unser Geschäftspartner kommt morgens.   a. ☐ Nomen   b. ☐ Adverb
4. Unser Geschäftspartner kommt am Morgen.   a. ☐ Nomen   b. ☐ Adverb
5. Über den neuen Chef haben wir viel Gutes gehört.   a. ☐ Nomen   b. ☐ Adjektiv
6. Der neue Chef ist sehr gut.   a. ☐ Nomen   b. ☐ Adjektiv
7. Wir treffen uns im Hotelrestaurant.   a. ☐ Nomen   b. ☐ Verb
8. Ich gehe vor dem Treffen noch kurz ins Hotelzimmer.   a. ☐ Nomen   b. ☐ Verb

4 Geschlecht (Genus) – der Kollege, die Kollegin, das Team

a Ordnen Sie die Wörter dem passenden grammatischen Geschlecht zu und notieren Sie den Artikel.

Abteilung | Angebot | Auftrag | Arbeit | Aufgabe | Beruf | Büro | Datei | Drucker |
Ergebnis | Firma | Gebäude | Gerät | Hersteller | Information | Job | Kalender | Konzept |
Maschine | Messe | Name | Problem | Programm | Raum

Maskulinum (M)	Neutrum (N)	Femininum (F)
der Auftrag, ...	*das Angebot, ...*	*die Abteilung, ...*

b Welches Geschlecht (Genus) haben die Wörter? Kreuzen Sie an.

		M	N	F
1.	Kollege	X	☐	☐
2.	Kundin	☐	☐	☐
3.	Praktikant	☐	☐	☐
4.	Assistent	☐	☐	☐
5.	Kind	☐	☐	☐
6.	Abteilungsleiterin	☐	☐	☐
7.	Mitarbeiter	☐	☐	☐
8.	Person	☐	☐	☐
9.	Baby	☐	☐	☐

		M	N	F
10.	Technikerin	☐	☐	☐
11.	Verkäufer	☐	☐	☐
12.	Kaufmann	☐	☐	☐
13.	Kauffrau	☐	☐	☐
14.	Mädchen	☐	☐	☐
15.	Krankenschwester	☐	☐	☐
16.	Krankenpfleger	☐	☐	☐
17.	Franzose	☐	☐	☐
18.	Japanerin	☐	☐	☐

5 Der Plural

Welche Pluralendung haben die Wörter? Ordnen Sie die Wörter zu und notieren Sie den Plural.

das Angebot | das Bild | der Bus | der Computer | die Feier |
der Flughafen | der Fotograf | die Freundin | die Hand | das Hemd |
die Kenntnis | die Managerin | das Meeting | der Name |
das Passwort | das Schild | das Team | der Termin | die Tochter |
der Vertrag | der Wald | das Zimmer

> **TIPP**
> Es gibt nur in wenigen
> Fällen eindeutige Regeln
> für die Pluralbildung:
> Lernen Sie Nomen immer mit
> Artikel und Plural!

- ___ der Partner → die Partner, *der Computer / die Computer* ___

¨ ___ der Garten → die Gärten, _____

-e ___ das Projekt → die Projekte, _____

¨e ___ der Plan → die Pläne, _____

-se ___ das Ergebnis → die Ergebnisse, _____

-er ___ das Mitglied → die Mitglieder, _____

¨er ___ das Buch → die Bücher, _____

-n ___ die Gruppe → die Gruppen, _____

-en ___ die Sitzung → die Sitzungen, _____

-nen ___ die Architektin → die Architektinnen, _____

-s ___ das Büro → die Büros, _____

Grammatik

1 Artikel im Nominativ, Akkusativ und Dativ

a Bestimmter Artikel: Ordnen Sie die Artikel zu.

das | das | dem | dem | den | den | ~~der~~ | der | ~~die~~ | ~~die~~ | die | die

bestimmter Artikel	Singular			Plural
	Maskulinum (M)	Neutrum (N)	Femininum (F)	(M, N, F)
Nominativ	*der* Vertrag	*das* Buch	*die* Notiz	*die* Verträge / …
Akkusativ	____ Vertrag	____ Buch	____ Notiz	____ Bücher / …
Dativ	____ Vertrag	____ Buch	____ Notiz	____ Notizen / …

b Unbestimmter Artikel, Negativartikel, Possessivartikel: Notieren Sie die fehlenden Endungen.

unbestimmter A. / Negativartikel / Possessivartikel	Singular			Plural
	Maskulinum (M)	Neutrum (N)	Femininum (F)	(M, N, F)
Nominativ	ein Vertrag kein Vertrag mein Vertrag	ein Buch kein Buch mein Buch	ein*e* Notiz kein*e* Notiz mein*e* Notiz	Ø Verträge / kein*e* Bücher / mein*e* Notizen
Akkusativ	ein*en* Vertrag kein___ Vertrag mein___ Vertrag	ein Buch kein Buch mein Buch	ein___ Notiz kein___ Notiz mein___ Notiz	Ø Verträge / kein___ Bücher / mein___ Notizen
Dativ	ein*em* Vertrag kein___ Vertrag mein___ Vertrag	ein___ Buch kein___ Buch mein___ Buch	ein___ Notiz kein___ Notiz mein___ Notiz	Ø Verträge / kein___ Bücher / mein___ Notizen

c Vergleichen Sie die Artikelendungen in 1a und 1b. Wo sind die Endungen gleich? Notieren Sie.

	M	N	F	Pl. (M, N, F)
Nominativ	---	---	*-e*	*-e*
Akkusativ	*-(e)n*	---		
Dativ	*-(e)m*			

d Unbestimmter Artikel im Plural (= Nullartikel) und Negativartikel im Plural: Formulieren Sie die Sätze im Plural.

1. Das Team hat ein Problem. / Das Team hat kein Problem.

   Das Team hat Probleme. / Das Team hat keine Probleme.

2. Der Vertrieb hat heute eine Baumaschine verkauft. / Der Vertrieb hat heute keine Baumaschine verkauft.

   _____

3. Unser Unternehmen sucht einen Mitarbeiter. / Unser Unternehmen sucht keinen Mitarbeiter.

   _____

4. Wir brauchen ein Besprechungszimmer. / Wir brauchen kein Besprechungszimmer.

   _____

2 Bestimmter Artikel, unbestimmter Artikel, Nullartikel oder Negativartikel?

a Ist die markierte Information neu / unbekannt (u) oder ist sie bekannt (b)? Kreuzen Sie an: u oder b.

	u	b
1. Ich habe ein neues Büro.	X	
2. Das Büro ist sehr sonnig, es gefällt mir gut.		X
3. Ich teile das Büro mit einer Kollegin und einem Kollegen.		
4. Die Kollegin ist sehr nett.		
5. Aber den Kollegen mag ich nicht so sehr. Denn er lacht nie.		
6. Mit der Kollegin und einer anderen Kollegin treffe ich mich auch privat.		
7. Wir haben auch schon zusammen Reisen gemacht.		
8. Die gemeinsamen Reisen haben immer viel Spaß gemacht.		

TIPP

– nicht bekannt = unbestimmt
 Artikel / Nullartikel
– bekannt = bestimmter Artik

b Was passt: der unbestimmte Artikel oder der bestimmte Artikel? Kreuzen Sie an.

1. Wir haben
 a. ☐ die   b. X eine   neue Kollegin.
 c. X Die   d. ☐ Eine   Kollegin ist sehr nett.

2.
 a. ☐ Die   b. ☐ Eine   neue Kollegin braucht
 c. ☐ den   d. ☐ einen   Computer und
 e. ☐ das   f. ☐ ein   Smartphone.

3.
 a. ☐ Der   b. ☐ Ein   Computer für
 c. ☐ die   d. ☐ eine   neue Kollegin ist neu.

4. Sie bekommt auch
 a. ☐ den   b. ☐ einen   Laptop, wenn sie
 c. ☐ die   d. ☐ eine   Dienstreise macht.

5.
 a. ☐ Der   b. ☐ Ein   Techniker, Herr Bauer, installiert ihr
 c. ☐ den   d. ☐ einen   Computer und
 e. ☐ den   f. ☐ einen   Laptop.

Die neue Kollegin ist sehr nett.

c Warum steht hier der Nullartikel? Ordnen Sie den Grund zu.

Berufsbezeichnung | Land | Name | Nationalität | unbestimmte Menge (Plural) | unbestimmte Menge (Singular) | Sprache | Stadt

1. Die neue Kollegin heißt Anna Taylor.   Nullartikel vor: *Name*

2. Sie ist Industriekauffrau von Beruf.   Nullartikel vor: _____

3. Sie wohnt in Berlin.   Nullartikel vor: _____

4. Sie isst gerne Gemüse und treibt oft Sport.   Nullartikel vor: _____

5. Sie spricht Deutsch, Englisch und Portugiesisch.   Nullartikel vor: _____

6. Ihre Eltern kommen aus Portugal.   Nullartikel vor: _____

7. Ihr Mann ist Engländer.   Nullartikel vor: _____

8. Frau Taylor macht oft Dienstreisen.   Nullartikel vor: _____

d Ergänzen Sie den Negativartikel „kein-".

1. Wir haben *kein* _____ Problem mit dem Drucker. Nur der Kopierer ist kaputt.

2. Das Druckerpapier ist weg. Ist _____ Papier mehr da?

3. Auf deinem Schreibtisch liegt _____ Rechnung. Wo hast du die Rechnung für den Transport?

4. Leider konnte ich _____ Termin vereinbaren. Frau Berger hat _____ Zeit.

5. Diese und nächste Woche haben wir _____ Sitzungen, denn Herr Oster ist krank.

e Welcher Artikel passt? Ergänzen Sie.

das | dem | die | die | einem | einen | einen | keine | keinen | Ø | Ø

1. _Die_ _____ Firma Büro XXL verkauft _Ø_ _____ Büromöbel.

2. _____ Büromöbel von Büro XXL sind sehr beliebt.

3. Büro XXL hat _____ Geschäfte in ganz Europa.

4. Aber es hat _____ Geschäfte in den USA.

5. Büro XXL hat in den USA aber _____ Vertriebspartner.

6. Büro XXL sucht jetzt noch nach _____ Partner in China.

7. Bisher hat es aber _____ Partner gefunden.

8. Letztes Jahr machte Büro XXL _____ Umsatz von 500 Millionen Euro.

9. _____ Unternehmen ist mit _____ Umsatz sehr zufrieden.

3 Maskuline Nomen mit dem Plural „-n" oder „-en": n-Deklination

a Schauen Sie sich die Formen in der Tabelle an und markieren Sie die Endungen.

	Singular			Plural		
Nominativ	der / ein	Kollege / Lieferant		die / Ø	Kollegen / Lieferanten	
Akkusativ	den / einen	Kollegen / Lieferanten		die / Ø	Kollegen / Lieferanten	
Dativ	dem / einem	Kollegen / Lieferanten		den / Ø	Kollegen / Lieferanten	

b Ergänzen Sie die Endungen: Akkusativ, Dativ Singular und Nominativ, Akkusativ, Dativ Plural.

1. der Praktikant   den Praktikant_en_   dem Praktikant_en_   die / den Praktikant_en_

2. der Student   den Student____   dem Student____   die / den Student____

3. der Journalist   den Journalist____   dem Journalist____   die / den Journalist____

4. der Automat   den Automat____   dem Automat____   die / den Automat____

5. der Kunde   den Kunde____   dem Kunde____   die / den Kunde____

6. der Chinese   den Chinese____   dem Chinese____   die / den Chinese____

7. der Nachbar   den Nachbar____   dem Nachbar____   die / den Nachbar____

8. **Ausnahme:** der Herr   den Herr_n_____   dem Herr____   die / den Herr_en_

4 Der Possessivartikel

a Welcher Possessivartikel ist richtig: a oder b? Kreuzen Sie an.

1. Das ist   a. ☐ dein   b. ☒ mein   Büro. Hier sitze ich.
2. Wir hatten ein gutes Geschäftsjahr.   a. ☐ Eure   b. ☐ Unsere   Umsatzzahlen sind gestiegen.
3. Hallo Frank, mein Laptop ist kaputt. Kann ich a. ☐ deinen   b. ☐ Ihren   Laptop benutzen?
4. Wo ist die Adresse von Herrn Doll? Ich finde a. ☐ ihre   b. ☐ seine   Visitenkarte nicht.
5. Wir danken Ihnen für   a. ☐ Ihr   b. ☐ ihr   Angebot.
6. Da muss ich euch zustimmen.   a. ☐ Euer   b. ☐ Dein   Vorschlag passt am besten.
7. Wo ist Frau Dahme? Ich bringe hier   a. ☐ ihren   b. ☐ seinen   neuen Schreibtischstuhl.
8. Hast du   a. ☐ meine   b. ☐ unsere   Brille gesehen?
9. Die Teilnehmer der Schulung haben nach   a. ☐ euren   b. ☐ ihren   Schulungsunterlagen gefragt.

b Lesen Sie die Sätze. Steht der Possessivartikel im Nominativ (N), Akkusativ (A) oder Dativ (D)? Notieren Sie N, A oder D. Ergänzen Sie dann die Endung.

1. Frau Eger ist in Urlaub. Schick bitte ihr*em*_____ Vertreter die Unterlagen. *D*
2. Ich suche Herrn Köhler. Können Sie mir bitte sein—_____ Büro zeigen? *A*
3. Ab Montag gibt es Bauarbeiten am Gebäude. Denn wir wollen sein_____ Eingangsbereich vergrößern. ⊔
4. Schick den Messegästen bitte noch ihr_____ Einladungen. ⊔
5. Das ist der Vertrag vom Praktikanten und hier ist sein_____ Karte für die Kantine. ⊔
6. Die Projektgruppe trifft sich erst nächste Woche wieder, denn ihr_____ Leiter ist krank. ⊔
7. Herr Schulz ist auf Dienstreise. Erkläre sein_____ Assistentin bitte das Protokoll. ⊔

5 Demonstrativartikel und Demonstrativpronomen „dies-" und „der"/„das"/„die"

a Lesen Sie die markierten Wörter. Sind es Demonstrativartikel (vor einem Nomen) (DA) oder Demonstrativpronomen (ohne ein Nomen) (DP)? Kreuzen Sie an: DA oder DP.

			DA	DP
1.	▶ In welchem Büro sitzt du?	▶ In diesem Büro hier.	X	☐
2.	▶ Welche Tagesordnung ist die aktuellste?	▶ Diese hier.	☐	X
3.	▶ Welcher Termin passt Ihnen am besten?	▶ Der am Montagvormittag.	☐	X
4.	▶ In welchem Konferenzraum ist ein Beamer?	▶ In dem Konferenzraum dort.	X	☐
5.	▶ Welches Notebook ist defekt?	▶ Das hier von Frau Eppler.	☐	☐
6.	▶ In welcher Halle ist das Lager?	▶ In der Halle dort hinten.	☐	☐
7.	▶ Auf welchem Platz sitzt der Assistent?	▶ Auf diesem dort.	☐	☐
8.	▶ Welche Unterlagen sind für den Teamleiter?	▶ Diese Unterlagen hier auf dem Tisch.	☐	☐

b Ergänzen Sie die Endungen vom Demonstrativartikel und Demonstrativpronomen „dies-".

Demonstrativartikel

	Maskulinum (M)	Neutrum (N)	Femininum (F)	Plural (M, N, F)
Nom.	Welcher Raum? → dies*er* / der Raum	Welches Büro? → dies___ / das Büro	Welche Halle? → dies___ / die Halle	Welche Räume / Büros / Hallen? → dies___ / die Räume / …
Akk.	Welcher Raum? → dies___ / den Raum	Welches Büro? → dies*es* / das Büro	Welche Halle? → dies___ / die Halle	Welche Räume / Büros / Hallen? → dies*e* / die Räume / …
Dat.	In welchem Raum? → in dies___ / dem Raum	In welchem Büro? → in dies___ / dem Büro	In welcher Halle? → dies*er* / der Halle	In welchen Räumen / Büros / Hallen? → in dies___ / den Räumen / …

Demonstrativpronomen

	Maskulinum (M)	Neutrum (N)	Femininum (F)	Plural (M, N, F)
Nom.	Welcher Raum? → dies___ / der	Welches Büro? → dies___ / das	Welche Halle? → dies*e* / die	Welche Räume / Büros / Hallen? → dies___ / die
Akk.	Welchen Raum? → dies*en* / den	Welches Büro? → dies___ / das	Welche Halle? → dies___ / die	Welche Räume / Büros / Hallen? → dies*e* / die
Dat.	In welchem Raum? → in dies___ / dem	In welchem Büro? → in dies*em* / dem	In welcher Halle? → in dies___ / der	In welchen Räumen / Büros / Hallen? → in dies*en* / denen

c Vergleichen Sie die Endungen vom Demonstrativartikel /-pronomen „dies-" und vom Demonstrativartikel /-pronomen „der" / „das" / „die" und ergänzen Sie die Regeln.

(G)

1. Die Endungen vom Demonstrativartikel und Demonstrativpronomen sind wie die Endungen
   a. ☐ vom bestimmten Artikel (der / das / die).   b. ☐ vom unbestimmten Artikel (ein-).
2. **Ausnahme:** Demonstrativpronomen „der" / „das" / „die" im Dativ Plural: „_____".

6 Präpositionen

a an, auf, in, hinter, vor, über, unter, neben, zwischen – Lesen Sie die Sätze. Was ist richtig: a oder b?
Kreuzen Sie an.

1.	Die Büroleuchte hängt	a. ☒ über	b. ☐ unter	dem Schreibtisch.
2.	Die Ordner stehen	a. ☐ hinter	b. ☐ in	dem Aktenschrank.
3.	Leg das Papier bitte	a. ☐ an	b. ☐ neben	den Kopierer.
4.	Stell das Flipchart bitte	a. ☐ hinter	b. ☐ in	die Tür.
5.	Der Aktenschrank steht	a. ☐ neben	b. ☐ zwischen	dem Schreibtisch und der Wand.
6.	Der Terminkalender hängt	a. ☐ an	b. ☐ vor	der Wand.
7.	Legen Sie bitte die Unterlagen	a. ☐ auf	b. ☐ neben	den Tisch.
8.	Der Schreibtisch steht	a. ☐ vor	b. ☐ zwischen	dem Fenster.
9.	Stell den Papierkorb bitte	a. ☐ über	b. ☐ unter	den Tisch.

an	auf	in	hinter	vor	über	unter	neben	zwischen

b Wohin? + Akkusativ / Wo? + Dativ – Kreuzen Sie an und ergänzen Sie dann den passenden Artikel.

		Wohin? + Akk.	Wo? + Dat.
1.	Kannst du bitte Papier in _den_ Drucker legen.	☒	☐
2.	Da steht noch ein Stuhl hinter _dem_ Schreibtisch.	☐	☒
3.	Stifte findest du in _____ Schublade.	☐	☐
4.	Den Mantel können Sie an _____ Garderobe hängen.	☐	☐
5.	Deine Unterlagen liegen noch auf _____ Besprechungstisch.	☐	☐
6.	Leg den Brief bitte auf _____ Platz von Frau Loser.	☐	☐
7.	Die Akten liegen neben _____ Telefon.	☐	☐
8.	Häng das Foto zwischen _____ Regal und _____ Schrank.	☐	☐
9.	Der Kopierer steht vor _____ Büro.	☐	☐

c Präpositionen mit Akkusativ: bis, durch, entlang, für, gegen, ohne, um – welche Präposition ist richtig: a oder b? Kreuzen Sie an.

1.	Die Konferenz dauert	a. ☒ bis	b. ☐ um	nächsten Montag.
2.	Der Plan ist gut. Ich bin	a. ☐ für	b. ☐ gegen	das Projekt.
3.	Der Versand? Gehen Sie den Flur	a. ☐ bis	b. ☐ entlang	und dann rechts.
4.	Ich verreise nie	a. ☐ durch	b. ☐ ohne	mein Notebook.
5.	Fahr	a. ☐ entlang	b. ☐ um	die Altstadt, dann bist du da.
6.	Geh am besten hier	a. ☐ durch	b. ☐ für	das Gebäude, dort ist die Garage.
7.	Frau Winter ist	a. ☐ bis	b. ☐ gegen	nächsten Freitag auf Dienstreise.

d Präpositionen mit Dativ: ab, aus, bei, mit, nach, seit, von, zu – ordnen Sie zu.

ab | aus | bei | mit | nach | ~~seit~~ | von | zu

1. Die Firma Brauer gibt es *seit* _____ dem Jahr 1951.
2. Hans Brauer hat sie _____ seinen Brüdern Paul und Klaus gegründet.
3. Die Eltern haben ihnen _____ der Gründung des ersten Geschäfts geholfen.
4. _____ einem Jahr hat sein Bruder Klaus das Unternehmen verlassen.
5. Er wollte sich _____ seinen Brüdern trennen und hat ein eigenes Unternehmen gegründet.
6. Die Brüder Hans und Paul haben _____ dem kleinen Geschäft ein großes Unternehmen gemacht.
7. Sie haben es _____ einem Unternehmen entwickelt, das europaweit tätig ist.
8. _____ nächstem Jahr übernimmt eine Tochter die Geschäftsleitung.

7 Satzbau

a Schreiben Sie die Sätze in die Tabelle. Achten Sie besonders auf die Position der Verben.

1. Die Geschäftsführung präsentiert am Freitag die Unternehmenszahlen.
2. Am Freitag präsentiert die Geschäftsführung die Unternehmenszahlen.
3. Wann präsentiert die Geschäftsführung die Unternehmenszahlen?
4. Ein Assistent organisiert die Präsentation.
5. Die Präsentation organisiert ein Assistent.

Position 1	Position 2: konjugiertes Verb	
1. Die Geschäftsführung	präsentiert	am Freitag die Unternehmenszahlen.
2.		die Geschäftsführung die Unternehmenszahlen.
3.		die Geschäftsführung die Unternehmenszahlen?
4.		
5.		

b Schreiben Sie die Sätze in die Tabelle. Achten Sie besonders auf die Position der Verben.

1. Die Mitarbeiter wollen danach Fragen zu den Zahlen stellen.
2. Danach können die Mitarbeiter Fragen zu den Zahlen stellen.
3. Beim letzten Termin hat es viele Fragen gegeben.
4. Wann hat es viele Fragen gegeben?
5. Viele wollten mehr Informationen erhalten.

Satzklammer

Position 1	Position 2: konjugiertes Verb		Satzende: 2. Verb
1. Die Mitarbeiter	wollen	danach Fragen zu den Zahlen	stellen.
2. Danach	können	die Mitarbeiter Fragen zu den Zahlen	stellen.
3.			
4.			
5.			

c Lesen Sie die Ja-/Nein-Fragen (1 bis 4) und die Anweisungen (Imperativsätze 5 bis 8). Markieren Sie die Verben und kreuzen Sie in der Regel an.

1. Gehen alle Mitarbeiter zur Präsentation?
2. Habt ihr eine Einladung bekommen?
3. Präsentiert die Geschäftsführung alle Zahlen?
4. Können wir Fragen zu den Zahlen stellen?

5. Organisieren Sie bitte die Tagung.
6. Kümmern Sie sich bitte um das Mittagessen.
7. Plane bitte auch eine Kaffeepause ein.
8. Gebt allen Teilnehmern ein Namensschild.

Ⓖ

Bei Ja-/Nein-Fragen und Imperativsätzen steht das konjugierte Verb auf Position   a. ☐ 1.   b. ☐ 2.

8 Die „aduso"-Konjunktionen: „aber", „denn", „und", „sondern", „oder"

a Was bedeuten die markierten Konjunktionen? Ordnen Sie zu.

⌈ Alternative | Alternative nach Negation | Gegensatz | Grund | Verbindung

1. Die Assistentin plant alle Messen und organisiert die Tagungen.   nennt: _Verbindung_
2. Mein Kollege fährt mit dem Zug oder kommt mit dem Auto.   nennt: _____
3. RELO hat zwei Geschäfte in München, aber nur eins in Hamburg.   nennt: _____
4. RELO hat einen Stand in Hannover, denn die Messe ist wichtig.   nennt: _____
5. Nächstes Jahr ist die Messe nicht in Hannover, sondern in Berlin.   nennt: _____

b Schreiben Sie die Sätze in die Tabelle.

1. Herr Ohler akquiriert die Kunden, aber Herr Sahr betreut sie.
2. Frau Abt macht die Buchhaltung alleine, denn ihre Kollegin ist krank.
3. Die PR-Abteilung pflegt die Webseite und (sie) schreibt die Pressemitteilungen.
4. Heute ist mein Kollege nicht im Büro, sondern (er) macht Homeoffice.
5. Ich kann den Kunden besuchen oder wir treffen ihn auf der Messe.

1. Hauptsatz / Satzteil	Position 0	2. Hauptsatz / Satzteil
1. _Herr Ohler akquiriert die Kunden,_	_aber_	_Herr Sahr betreut sie._
2.		
3.		
4.		
5.		

c Schreiben Sie die Sätze kürzer.

1. Wir besprechen das Projekt noch heute oder wir besprechen das Projekt morgen.

    Wir besprechen das Projekt noch heute oder morgen.

> **TIPP**
> Sätze mit „denn" kann man nicht verkürzen.

2. Ich besuche eine Schulung für Datenverwaltung und ich besuche eine Schulung für Datensicherheit.

_____

3. Mein Kollege war beruflich schon oft in Indien, aber er war beruflich noch nie in China.

_____

4. Ich fliege heute nicht über Zürich, sondern ich fliege heute über Paris.

_____

9 Die Zeitenformen

Ordnen Sie die Zeitformen den Sätzen zu.

> Wir starten heute …

[Perfekt | ~~Präsens für Gegenwart~~ | Präsens für Zukunft | Präteritum

1. *Präsens für Gegenwart*   : Wir starten heute mit dem neuen Projekt.
2. _____ : Wir haben das Projekt lange vorbereitet.
3. _____ : Es gab viele Besprechungen.
4. _____ : Die Projektergebnisse präsentieren wir Anfang Januar.

10 Präsens

Wie heißen die Verbformen im Präsens? Ergänzen Sie sie.

	ich	du	er / sie / es	wir	ihr	sie / Sie (Sg. + Pl.)
kommen	komme	kommst	kommt	komm___	kommt	komm___
heißen	heiß___	heißt	heiß___	heißen	heiß___	heißen
arbeiten	arbeite	arbeit___	arbeitet	arbeit___	arbeitet	arbeiten
haben	hab___	hast	hat	haben	hab___	hab___
sein	bin		ist			sind

	ich	du	er / sie / es	wir	ihr	sie / Sie (Sg. + Pl.)
e → i: geben	gebe	gibst	g___b	geb___	geb___	geb___
e → ie: sehen	seh___	siehst	s___h	seh___	seht	seh___
a → ä: fahren	fahr___	f___hr	fährt	fahr___	fahr___	fahren
au → äu: laufen	laufe	läufst	l___f	lauf___	lauf___	lauf___

11 Perfekt

a Regelmäßige Verben: Wie bildet man das Partizip Perfekt (= Partizip II)? Ordnen Sie den Verbformen die Erklärungen A bis D zu.

1. machen → gemacht _A_
2. trainieren → trainiert ___
3. vorstellen → vorgestellt ___
4. besuchen → besucht ___

A. „ge-" am Wortanfang, mit Endung „-t"
B. bei trennbaren Vorsilben (z. B. „ab-", „an-", „auf-", „aus-", „ein-", „her-", „mit-", „vor-", „weg-", „weiter-", „zurück-"): „ge-" nach Vorsilbe, mit Endung „-t"
C. bei untrennbaren Vorsilben („be-", „ent-", „er-", „ge-", „ver-", „zer-"): kein „ge-", mit Endung „-t"
D. bei Verben auf „-ieren": kein „ge-", mit Endung „-t"

b Unregelmäßige Verben: Wie bildet man das Partizip Perfekt? Ordnen Sie den Verbformen die Erklärungen A bis D zu.

1. treffen → getroffen _A_
2. zurückgehen → zurückgegangen ___
3. sein → gewesen ___
4. verbinden → verbunden ___

A. „ge-" am Wortanfang, mit Endung „-en", oft mit Vokalwechsel
B. bei trennbaren Vorsilben: „ge-" nach Vorsilbe, mit Endung „-en", oft mit Vokalwechsel
C. bei untrennbaren Vorsilben: kein „ge-", mit Endung „-en", oft mit Vokalwechsel
D. Ausnahmen „sein" → „gewesen"

c Gemischte Verben: Wie bildet man das Partizip Perfekt? Ordnen Sie den Verbformen die Erklärungen A bis C zu.

1. bringen → gebracht _A_
2. erkennen → erkannt ⎵
3. nachdenken → nachgedacht ⎵

A. „ge-" am Wortanfang, mit Endung „-t", oft mit Vokalwechsel
B. bei trennbaren Vorsilben: „ge-" nach Vorsilbe, mit Endung „-t", oft mit Vokalwechsel
C. bei untrennbaren Vorsilben: kein „ge-", mit Endung „-t", oft mit Vokalwechsel

---
TIPP

– Perfekt mit „sein": meist Verben der Bewegung und Veränderung; „sein", „bleiben".
– Sonst immer „haben".

d Perfekt mit „haben" oder „sein"? Lesen Sie den Tipp und ergänzen Sie die Perfektform.

1. kommen → sie _ist gekommen_
2. arbeiten → ich _habe gearbeitet_
3. bleiben → wir _sind geblieben_
4. versprechen → er _____
5. einplanen → du _____
6. passieren → es _____
7. wissen → ich _____
8. abfliegen → er _____
9. bestellen → wir _____
10. beibringen → Sie _____
11. sein → du _____
12. funktionieren → es _____
13. wandern → er _____
14. fahren → ihr _____

12 Präteritum

Wie heißen die Verbformen mit Präteritum? Ergänzen Sie sie.

Regelmäßige Verben

	ich	du	er / sie / es	wir	ihr	sie / Sie (Sg. + Pl.)
machen	mach_te_	mach____	mach_te_	mach____	mach_tet_	mach____
bauen	bau____	bau_test_	bau____	bau_ten_	bau____	bau_ten_
arbeiten	arbeit_ete_	arbeit_etest_	arbeit____	arbeit____	arbeit_etet_	arbeit____
gründen	gründ____	gründ____	gründ_ete_	gründ_eten_	gründ____	gründ_eten_

Unregelmäßige Verben

	ich	du	er / sie / es	wir	ihr	sie / Sie (Sg. + Pl.)
kommen	kam	kamst	kam			
finden	fand	fandest		fanden		
gehen			ging		gingt	gingen
werden	wurde	wurdest		wurden		

Gemischte Verben

	ich	du	er / sie / es	wir	ihr	sie / Sie (Sg. + Pl.)
kennen	kannte			kannten		
denken		dachtest			dachtet	
bringen			brachte			brachten
wissen	wusste			wussten		

Wortschatz und Schreiben

1 Nomen + Nomen = Nomen › KB: A, B

a Welche Industriebereiche gibt es? Bilden Sie Wörter mit „Industrie". Drei Wörter passen nicht.

Auto | Chemie | Energie | Geräte | Getränke | Kosmetik | Maschinenbau | Nahrungsmittel | Putzmittel | Stahl | Vitamine

1. die *Auto* _____industrie   5. die _____industrie

2. die *Chemie* _____industrie   6. die _____industrie

3. die _____industrie   7. die _____industrie

4. die _____industrie   8. die _____industrie

b Bilden Sie Nomen. Achten Sie auch auf den Artikel und die Pluralform.

1. der Regen (kein Plural) + die Jacke, -n = *die Regenjacke, die Regenjacken*

2. das Gemüse, - + der Saft, ̈e = *der Gemüsesaft, die Gemüsesäfte*

3. das Obst (kein Plural) + der Kuchen, - = *der Obstkuchen, die Obstkuchen*

4. der Kaffee (kein Plural) + die Maschine, -n = _____

5. der Sport (kein Plural) + das Getränk, -e = _____

6. das Lebensmittel, - + das Geschäft, -e = _____

7. der Bus, -se + die Reise, -n = _____

8. die Hand, ̈e + die Creme, -s = _____

9. das Metall, -e + die Tür, -en = _____

c Schauen Sie sich die Wörter in 1b an. Was ist richtig: a oder b? Kreuzen Sie an.

Ⓖ

Artikel und Plural von zusammengesetzten Nomen sind gleich wie die Formen
a. ☐ vom ersten Wort.   b. ☐ vom letzten Wort.

d Erklären Sie die Wörter in 1b.

1. *die Regenjacke* = *die Jacke für den Regen*

2. *der Gemüsesaft* = *der Saft aus Gemüse*

3. *der Obstkuchen* = *der Kuchen mit Obst*

4. _____ = _____

5. _____ = _____

6. _____ = _____

7. _____ = _____

8. _____ = _____

9. _____ = _____

e Bilden Sie Nomen. Notieren Sie den Artikel und achten Sie auf die Verbindungsbuchstaben „s" und „n".

1.	das Gesicht	+	s	+	die Creme	=	*die Gesichtscreme*
2.	das Leben	+	s	+	das Mittel	=	
3.	das Geschäft	+	s	+	der Prozess	=	
4.	der Gebrauch	+	s	+	das Gut	=	
5.	die Dame	+	n	+	das Shirt	=	*das Damenshirt*
6.	der Kunde	+	n	+	der Wunsch	=	
7.	die Familie	+	n	+	der Betrieb	=	
8.	die Küche	+	n	+	das Fenster	=	

TIPP

Endung „-e" → meist Verbindungs-n

f Zusammengesetzte Wörter mit Nomen im Plural. Was bedeuten die Wörter?

1. das Krankenhaus → *das Haus für die Kranken*

2. die Datensicherung → *die Sicherung von Daten*

3. der Maschinenbau → _____

4. der Kundenservice → _____

5. die Herrenhose → _____

g Bilden Sie Nomen. Wenn Sie wollen, können Sie in der Wortschatzliste von Lektion 1 nachschauen.

[~~der Dienst~~ | die Daten | die Hand | das Haupt | die Nahrung(s) | die Produktion(s) | der Ski | das Werk]

[die Bank | das Gut | die Hose | ~~die Leistung~~ | das Mittel | der Sitz | der Stoff | das Werk]

1. *die Dienstleistung*

2. _____

3. _____

4. _____

5. _____

6. _____

7. _____

8. _____

2 Verb + Nomen = Nomen › KB: A, B

a Bilden Sie Nomen. Achten Sie auch auf den Artikel und die Pluralform.

1.	putzen	+	das Mittel, -	=	*das Putzmittel, –*
2.	drehen	+	die Maschine, -n	=	
3.	bauen	+	der Stahl, ¨e	=	
4.	tauschen	+	das Geschäft, -e	=	
5.	wandern	+	der Schuh, -e	=	
6.	reisen	+	der Bus, -se	=	*der Reisebus, -se*
7.	liegen	+	der Stuhl, ¨e	=	
8.	halten	+	die Stelle, -n	=	
9.	landen	+	der Platz, ¨e	=	
10.	anmelden	+	der Termin, -e	=	

b Erklären Sie die Wörter 1 bis 3 und 6 bis 8 in 2a.

1. _das Putzmittel_   =   _das Mittel zum Putzen_

2. _____ = _____

3. _____ = _____

6. _____ = _____

7. _____ = _____

8. _____ = _____

3   Adjektiv + Nomen = Nomen   › KB: B

a Bilden Sie Nomen. Achten Sie auch auf den Artikel und die Pluralform.

1. klein   +   **der** Transporter, -   =   _der Kleintransporter, –_

2. roh   +   der Stoff, -e   = _____

3. komplett   +   die Montage, -n   = _____

4. eigen   +   das Kapital, -e   = _____

5. frei   +   die Zeit, -en   = _____

b Kombinieren Sie die Nomen mit den Verben und Adjektiven unten. Verwenden Sie die Wörter nur einmal. Ergänzen Sie auch den Plural und lernen Sie die Pluralform immer mit.

> die Fahrt | das Geld (hier kein Plural) | der Handel (kein Plural) | ~~das Haus~~ | ~~der Kunde~~ |
> die Maschine | der Platz | der Schein | die Schule | die Wohnung

1. kaufen → _das Kaufhaus, ⸚er_   6. neu → _der Neukunde, –n_

2. mieten → _____   7. groß → _____

3. liefern → _____   8. hoch → _____

4. parken → _____   9. klein → _____

5. bauen → _____   10. rund → _____

4   Verben mit trennbarer Vorsilbe   › KB: C

TIPP

Trennbare Vorsilben:
ab-, an-, auf-, aus-, bei-, ein-, her-, hin-, los-, mit-, nach-, vor-, weg-, zu-, zurück-, ...

a Markieren Sie die Vorsilben und bauen Sie die Verben in die Sätze ein.

1. **ab**lehnen → Die Geschäftsführung _lehnt_____ das Angebot _ab_____.

2. anrufen → Der Assistent _____ bei der Bank _____.

3. aufbauen → Das Unternehmen _____ in Spanien eine zweite Fertigung _____.

4. ausüben → Ein Maler _____ ein Handwerk _____.

5. einplanen → Für den Neubau _____ Sanofi 200 Millionen _____.

6. herstellen → Volkswagen _____ PKWs, LKWs und Busse _____.

7. mitteilen → Boehringer Ingelheim _____ die Umsatzzahlen _____.

8. vorstellen → In der Präsentation _____ Frau Seele ihr Unternehmen _____.

9. zusenden → Wir _____ Ihnen die Information direkt _____.

b Formulieren Sie die Sätze im Perfekt. Achten Sie auf die Stellung von „ge". › B: G11

1. Die Sitzung fängt um 10:00 an.

   → Die Sitzung *hat* um 10:00 *angefangen* .

2. Die Marketingabteilung schlägt ein neues Werbekonzept vor.

   → Die Marketingabteilung _____ ein neues Werbekonzept _____ .

3. Die Buchhaltung rechnet die Reisekosten am Ende des Monats ab.

   → Die Buchhaltung _____ die Reisekosten am Ende des Monats _____ .

4. Die IT-Abteilung richtet ein neues Computersystem ein.

   → Die IT-Abteilung _____ ein neues Computersystem _____ .

5 Verben mit untrennbarer Vorsilbe › KB: C

Wie heißt das Perfekt? › B: G11

TIPP

Untrennbare Vorsilben:
be-, ent-, er-, ge-, ver-, zer-, …

1. beschäftigen → 2016 *hat* Sanofi 110.000 Mitarbeiter *beschäftigt* .

2. entwickeln → Wir _____ ein neues Medikament _____ .

3. erzielen → Boehringer Ingelheim _____ 2015 einen Umsatz von 14,8 Mill. _____ .

4. gehören → Merial _____ früher zu Sanofi _____ .

5. vereinbaren → Die Unternehmen _____ einen Tausch _____ .

6. zertrümmern → Als Erstes _____ man mit der Maschine den Beton _____ .

6 Untrennbare oder trennbare Silbe? › KB: C

Bilden Sie Sätze im Perfekt. › B: G7, 11

1. die Spedition – für den Weg – nach Hamburg – sieben Stunden – einrechnen

   Die Spedition hat für den Weg nach Hamburg sieben Stunden eingerechnet.

2. unser Haushalt – dieses Jahr – mehr Energie – verbrauchen

   _____

3. das Software-Unternehmen – leider – keine gute Dienstleistung – erbringen

   _____

4. der Messebauer – den Messestand – schon – abbauen

   _____

5. wir – die falsche Ware – noch nicht – zurückschicken

   _____

6. der Kundenservice – beim Produkt – keinen Fehler – feststellen

   _____

7. der Techniker – alles – nachprüfen und – alle Störungen – beheben

   _____

8. letztes Jahr – das Unternehmen – viele Mitarbeiter – entlassen

   _____

Grammatik

1 Nominativ, Akkusativ und Dativ › KB: B2

a Markieren Sie Nominativ (Wer?/Was?) und Akkusativ (Wen?/Was?). Die Fragen helfen, notieren Sie die Antworten.

1. Ein Pharmaunternehmen produziert Medikamente.

   a. ▶ Wer produziert Medikamente?   ▶ *Ein Pharmaunternehmen.*

   b. ▶ Was produziert ein Pharmaunternehmen?   ▶ *Medikamente.*

2. Die Medikamente bringen viel Geld.

   a. ▶ Was bringt viel Geld?   ▶ *Die Medikamente.*

   b. ▶ Was bringen die Medikamente?   ▶ *Viel Geld.*

3. Der Geschäftsführer hält eine Präsentation.

   a. ▶ Wer hält eine Präsentation?   ▶ _____

   b. ▶ Was hält der Geschäftsführer?   ▶ _____

4. Unser Elektriker beschäftigt einen Lehrling.

   a. ▶ Wer beschäftigt einen Lehrling?   ▶ _____

   b. ▶ Wen beschäftigt unser Elektriker?   ▶ _____

5. Klimaanlagen verbrauchen viel Energie.

   a. ▶ Was verbraucht viel Energie?   ▶ _____

   b. ▶ Was verbrauchen Klimaanlagen?   ▶ _____

b Markieren Sie Akkusativ (Wen?/Was?) und Dativ (Wem?). Die Fragen helfen, notieren Sie die Antworten.

1. Der Geschäftsführer präsentiert den Mitarbeitern die Zahlen.

   a. ▶ Was präsentiert der Geschäftsführer?   ▶ *Die Zahlen.*

   b. ▶ Wem präsentiert der Geschäftsführer die Zahlen?   ▶ *Den Mitarbeitern.*

2. Der Autohändler verkauft einem Kunden einen BMW.

   a. ▶ Was verkauft der Autohändler?   ▶ _____

   b. ▶ Wem verkauft der Autohändler einen BMW?   ▶ _____

3. Der Händler gibt dem Käufer einen Rabatt.

   a. ▶ Was gibt der Händler?   ▶ _____

   b. ▶ Wem gibt der Händler einen Rabatt?   ▶ _____

2 Der Genitiv › KB: B2

a Der Genitiv (Wessen?). Notieren Sie den bestimmten Artikel im Genitiv und, wenn nötig, das Genitiv-s.

1. die Produktion *der* _____ Fräsmaschine– _____

2. der Verbrauch *des* _____ Rohstoff*s* ___ „Erdgas"

3. die Installation _____ Anlage _____

4. die Arbeit _____ Handwerker _____ (Pl.)

5. die Ausstattung _____ Büro _____

6. die Fertigung _____ Bekleidung _____

7. der Bau _____ Fabrikhalle _____

8. die Reparatur _____ Auto _____

b **Nomen der n-Deklination. Wie heißt der Genitiv?**

1. der Kunde → *des Kunden*
2. der Praktikant → *des Praktikanten*
3. der Kollege → _____
4. der Lieferant → _____

5. der Assistent → _____
6. der Herr → _____
7. der Psychologe → _____
8. der Automat → _____

c **Hier passt der Genitiv besser. Formulieren Sie die markierten Ausdrücke mit dem Genitiv.**

1. Das Unternehmen ist mit dem Angebot vom Dienstleister nicht einverstanden.
   Das Unternehmen ist mit dem Angebot des Dienstleisters nicht einverstanden.

2. Morgen startet der Techniker die Installation von der Software.
   _____

3. Der Hauptsitz von dem Unternehmen ist in Dortmund.
   _____

4. Die Planung von einer Anlage kostet viel Zeit.
   _____

5. Bitte bearbeiten Sie noch die Bestellung von den Medikamenten.
   _____

6. Die Ausbildung von einem Handwerker dauert meistens drei Jahre.
   _____

d **Notieren Sie den Genitiv bzw. die Ersatzform mit „von" bei Nomen ohne Artikel.**

1. (mein Team) das Projekt *meines Teams*
2. (Haushaltsgeräte) die Produktion *von Haushaltsgeräten*
3. (die Telefonnummern) die Liste _____
4. (ein Bauingenieur) die Aufgaben _____
5. (die Daten) die Analyse _____
6. (Strom) die Herstellung _____
7. (kein Kunde) die Adresse _____
8. (Ihre Besprechung) der Termin _____
9. (Waren) die Herstellung _____
10. (unsere Sitzungen) die Planung _____

Das Projekt meines Teams.

e **Ergänzen Sie die Artikel in der Tabelle.**

	Maskulinum (M)	Neutrum (N)	Femininum (F)	Plural (M, N, F)
bestimmter Artikel	d*es* Käufers	d___ Teams	d___ Anlage	d___ Käufer / Teams / Anlagen
unbestimmter / Negativ- / Possessivartikel	ein*es* Käufers / kein*es* Käufers / sein*es* Käufers	ein___ Teams / kein___ Teams / sein___ Teams	ein___ Anlage / kein___ Anlage / sein___ Anlage	(von) Käufern / kein___ Teams / sein___ Anlagen

3 Satzbau im Hauptsatz › KB: C2 › B: G7

Schreiben Sie die Sätze in die Tabelle.

1. Sanofi baut zwei neue Gebäude.
2. Sanofi hat mit Boehringer Ingelheim einen Geschäftsbereich getauscht.
3. Boehringer Ingelheim entwickelt auch Medikamente für Tiere.
4. Das Pharmaunternehmen will den Bereich „Tiermedizin" weiter ausbauen.
5. 2016 haben die Unternehmen die Verhandlungen erfolgreich beendet.

Satzklammer

Position 1	Position 2: konjugiertes Verb		Satzende: 2. Verb
1. *Sanofi*	*baut*	*zwei neue Gebäude.*	
2. *Sanofi*	*hat*	*mit Boehringer Ingelheim zwei Geschäftsbereiche*	*getauscht.*
3.			
4.			
5.			

4 Hauptsatz und Nebensatz › KB: C2

a **Schreiben Sie die Sätze in die Tabelle.**

1. Sanofi hat nun endlich entschieden, dass man zwei neue Gebäude baut.
2. Sanofi braucht die Gebäude, weil die Medizintechnik wächst.
3. Beide Unternehmen waren sehr zufrieden, als die Verhandlungen begannen.
4. Der Tausch hat funktioniert, weil die Unternehmen gut verhandelt haben.

Hauptsatz	Nebensatz		
1. *Sanofi hat nun endlich entschieden,*	*dass*	*man zwei neue Gebäude*	*baut.*
2.			
3.			
4.			

b **Formulieren Sie die Sätze in 4a so um, dass der Nebensatz am Anfang steht.**

Nebensatz			Hauptsatz	
1. *Dass*	*man zwei neue Gebäude*	*baut,*	*hat*	*Sanofi nun endlich entschieden.*
2.				
3.				
4.				

5 Wozu? Sätze mit „damit" und „um ... zu" › KB: C2

a **Bilden Sie Infinitive mit „zu".**

1. wachsen → *zu wachsen*   4. vorbeugen → _____   7. einführen → _____

2. ausbauen → *auszubauen*   5. tauschen → _____   8. vergrößern → _____

3. bekommen → *zu bekommen*   6. entwickeln → _____   9. finanzieren → _____

b Antworten Sie mit Nebensätzen mit „damit". Überprüfen Sie dann Ihre Lösungen.

1. ▶ Wozu hat Boehringer Ingelheim „Merial" gekauft? (es – den Bereich „Tiermedizin" – ausbauen – können)

   ▶ *Damit es den Bereich „Tiermedizin" ausbauen kann.*

2. ▶ Wozu investiert Sanofi 200 Millionen? (die Medizintechnik – mehr Platz – bekommen)

   ▶ _____

3. ▶ Wozu vergrößert man die Medizintechnik? (man – weiter – wachsen – können)

   ▶ _____

c Formulieren Sie aus den Fragen und Antworten in 5b Sätze wie im Beispiel.

Hauptsatz	Nebensatz		
1. *B. I. hat „Merial" gekauft,*	*damit*	*es den Bereich „Tiermedizin"*	*ausbauen kann.*
2. *Sanofi hat 200 Mio. investiert,*	*...*		
3.			

d Antworten Sie auf die Fragen in 5b mit Nebensätzen mit „um ... zu". Überprüfen Sie dann Ihre Lösungen.

1. den Bereich „Tiermedizin" – ausbauen – können: *Um den Bereich „Tiermedizin" ausbauen zu können.*

2. mehr Platz – bekommen: _____

3. weiter – wachsen – können: _____

e Formulieren Sie aus den Fragen und Antworten in 5b und 5d Sätze wie im Beispiel. Schauen Sie sich dann die Sätze 1 und 3 an und kreuzen Sie in der Regel an.

Hauptsatz	Nebensatz		
1. *B. I. hat „Merial" gekauft,*	*um*	*den Bereich „Tiermedizin"*	*ausbauen zu können.*
2. *Sanofi hat 200 Mio. investiert,*	*...*		
3.			

Ⓖ

Bei Sätzen mit „um ... zu" + Modalverb steht das „zu"   a. ☐ vor   b. ☐ nach   dem Modalverb.

f Formulieren Sie Sätze mit „damit" und „um ... zu". Überprüfen Sie dann Ihre Lösungen.

1. der Malerbetrieb Loss – Mitarbeiter – suchen → mehr Aufträge – annehmen – können

   Der Malerbetrieb Loss sucht Mitarbeiter, um mehr Aufträge annehmen zu können.

2. Loss – auch – eine Buchhalterin – suchen → sie – die Rechnungen – erstellen – und – prüfen

   Loss sucht auch eine Buchhalterin, damit sie die Rechnungen erstellt und prüft.

3. die BTA AG – Niederlassungen – im Inland – schließen → das Auslandsgeschäft – ausbauen

   _____

4. die BTA AG – mit einem Händler – in Österreich – verhandeln → er – um den Vertrieb – sich kümmern

   _____

5. die BTA AG – viele Messen – besuchen → ihre Kunden – direkt – antreffen

   _____

g Lesen Sie den Tipp und formulieren Sie die „um ... zu-Sätze" in 5f in „damit-Sätze" um.

1. _Der Malerbetrieb Loss sucht Mitarbeiter, damit er mehr Aufträge annehmen kann._

2. _____

3. _____

TIPP

„damit"-Sätze enden oft mit „können".

6 Verben mit Präpositionen › KB: C4

a Welche Präpositionen haben die Verben? Ordnen Sie zu. Überprüfen Sie dann Ihre Lösungen.

[an | auf | für | ~~über~~ | um | von | zu]

1. Die Geschäftsführung informiert _über_ _____ die Verhandlungen.

2. Bei den Verhandlungen geht es _____ den Tausch von Geschäftsbereichen.

3. Boehringer Ingelheim gehört _____ der Pharmaindustrie.

4. Sanofi will sich _____ das Geschäft mit rezeptfreien Medikamenten konzentrieren.

5. Die Leitung hat sich _____ hohe Investitionen entschieden.

6. Die meisten Mitarbeiter halten viel _____ dieser Entscheidung.

7. Denn sie haben großes Interesse _____ einem Ausbau des Standorts.

b „~~Über was~~" → „Worüber informiert die Geschäftsführung?" Stellen Sie Fragen zu den Sätzen in 6a mit „wo(r)-" und antworten Sie.

1. _Worüber informiert die Geschäftsführung? – Über die Verhandlungen._

2. _Worum geht es bei den Verhandlungen? – Um den Tausch der Geschäftsbereiche._

3. _____

4. _____

5. _____

6. _____

7. _____

c Nach Personen / Institutionen fragen: Überlegen Sie, ob die Präposition in den markierten Teilen mit Akkusativ (A) oder mit Dativ (D) steht. Stellen Sie dann Fragen zu den markierten Teilen.

	Präp. + A	Präp. + D
1. Die Geschäftsführung bespricht ihre Pläne mit den Bereichsleitern. _Mit wem bespricht die Geschäftsführung ihre Pläne?_	☐	☒
2. Die BTA AG schickt an die Dähne GmbH ein Muster und ein Angebot. _An wen ..._	☒	☐
3. Die Mitarbeiter halten viel von ihrem neuen Abteilungsleiter.	☐	☐
4. Bei der Wahl haben die meisten für Frau Senger gestimmt.	☐	☐

7 Präpositionaladverbien – „dafür", „damit, „darüber", … › KB: C4

a Formulieren Sie die Sätze in 6a mit Präpositionaladverbien um. Achten Sie auf das „r" bei Präpositionen mit einem Vokal am Anfang.

1. Die Geschäftsführung informiert *darüber* _____, dass sie Verhandlungen führt.
2. Bei den Verhandlungen geht es _____, dass man Geschäftsbereiche tauschen will.
3. Die Pharmaindustrie ist ein wichtiger Industriebereich. Boehringer Ingelheim gehört _____.
4. Sanofi übernimmt das Geschäft mit rezeptfreien Medikamenten, es will sich _____ konzentrieren.
5. Die Leitung hat sich _____ entschieden, dass man viel investieren will.
6. Die meisten Mitarbeiter halten viel _____, dass man sich so entschieden hat.
7. Denn Sie haben großes Interesse _____, dass das Unternehmen den Standort ausbaut.

b Lesen Sie die Sätze in 7a noch einmal. Welche Präpositionaladverbien beziehen auf einen Satz vorher, welche auf einen Satz danach? Notieren Sie die Satznummern.

1. Präpositionaladverb bezieht sich auf den Satz davor, Sätze: *3,* _____
2. Präpositionaladverb bezieht sich auf den Satz danach, Sätze: *1, 2,* _____

c Bilden Sie Sätze mit den markierten Präpositionaladverbien.

1. die Mitarbeiter – sich freuen darauf – , – dass – die Medizintechnik – bald – in die neuen Gebäude – einziehen
   Die Mitarbeiter freuen sich darauf, dass die Medizintechnik bald in die neuen Gebäude einzieht.
2. es – oft – Informationen – zum Umzug – geben – , – denn – viele Mitarbeiter – sich interessieren dafür
   Es gibt oft Informationen zum Umzug, denn viele Mitarbeiter interessieren sich dafür.
3. die Medizintechnik – sehr – zufrieden sein damit – , – dass – sie – nun – mehr Platz – haben
   _____
4. für die Ausstattung der Kantine – alle – Vorschläge – machen – können – , – viele – sich beteiligen daran
   _____
5. in den Pausen – viele – sprechen darüber – , – denn – sie – das Thema – interessant – finden
   _____

d Formulieren Sie Sätze mit Präpositionaladverbien.

1. die Geschäftsleitung – sich kümmern um – , – dass – der Architekt – alle Vorschläge – kennenlernen
   Die Geschäftsleitung kümmert sich darum, dass der Architekt alle Vorschläge kennenlernt.
2. es – eine Präsentation der Vorschläge – geben – , – die Geschäftsleitung – alle – einladen zu
   Es gibt eine Präsentation der Vorschläge, die Geschäftsleitung lädt alle dazu ein.
3. die Geschäftsleitung – achten auf – , – dass – es – für alle Vorschläge – gleich viel Zeit – geben
   _____
4. alle – sehr zufrieden sein mit – , – dass – die Präsentationen – so gut – sein
   _____
5. man – auf einen Vorschlag – sich einigen – , – alle – sich freuen über
   _____

Kapitel 2

Wortschatz und Schreiben

1 Krankheit, Beschwerden, Schmerzen › KB: A

a Welche Körperteile sind das? Wo haben Sie Schmerzen? Notieren Sie die Nomen mit Artikel und bilden Sie zusammengesetzte Wörter mit „-schmerzen".

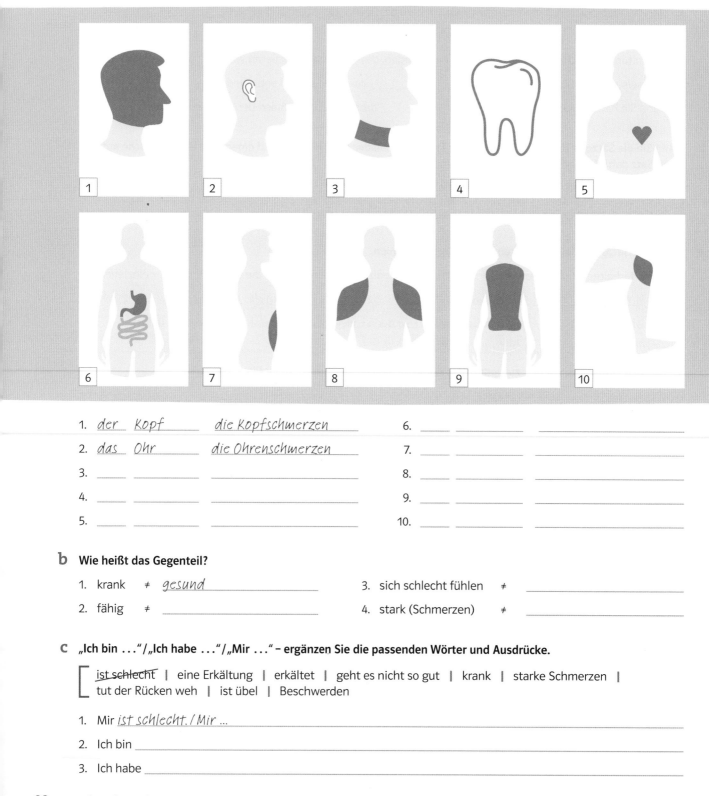

1. _der_ _Kopf_ _die Kopfschmerzen_   6. _____ _____
2. _das_ _Ohr_ _die Ohrenschmerzen_   7. _____ _____
3. _____ _____   8. _____ _____
4. _____ _____   9. _____ _____
5. _____ _____   10. _____ _____

b Wie heißt das Gegenteil?

1. krank ≠ _gesund_   3. sich schlecht fühlen ≠ _____
2. fähig ≠ _____   4. stark (Schmerzen) ≠ _____

c „Ich bin ..."/„Ich habe ..."/„Mir ..." – ergänzen Sie die passenden Wörter und Ausdrücke.

> ~~ist schlecht~~ | eine Erkältung | erkältet | geht es nicht so gut | krank | starke Schmerzen | tut der Rücken weh | ist übel | Beschwerden

1. Mir _ist schlecht. / Mir ..._ _____
2. Ich bin _____
3. Ich habe _____

d Über Beschwerden sprechen. Formulieren Sie Sätze.

1. ich – eine Erkältung – starke – und – Kopfschmerzen – schreckliche – haben

   Ich habe eine starke Erkältung und schreckliche Kopfschmerzen.

2. ich – starken – Schnupfen – haben – und – mir – dauernd – die Nase – putzen – müssen

   _____

3. ich – heiser – sein – und – viel – sehr – husten – müssen

   _____

4. ich – mich – schlecht – sehr – fühlen – und – eine Grippe – haben

   _____

5. vielleicht – ich – eine Bronchitis – schwere – haben – , – denn – mir – die Brust – sehr – wehtun

   _____

6. mir – übel – sein – , – ich – Magenschmerzen – starke – haben

   _____

7. mir – gut – nicht – es gehen – , – denn – ich – Fieber – hohes – haben

   _____

2 Ärzte und Behandlung › KB: A, B

TIPP

Heilkunde = Medizin

a Bilden Sie zusammengesetzte Nomen aus Verb + Nomen. Notieren Sie auch die Artikel.

1. heilen + *die* Kunde → *die Heilkunde*   3. warten + _____ Zeit → _____

2. heilen + _____ Verfahren → _____   4. sprechen + _____ Zeiten → _____

b Welche Ärzte sind das? Notieren Sie sie.

> Allgemein- | Hals-, Nasen-, Ohren- | -heil- | -heil- | -kunde | -medizin | Natur- |
> Orthopädie | verfahren

1. Arzt für *Allgemeinmedizin* _____   3. Arzt für: _____

2. HNO: Facharzt für _____   4. Arzt für: _____

c Dinge für die Behandlung. Was ist das? Notieren Sie die Nomen mit Artikel und Plural.

 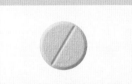  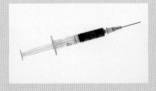

1. *der Tropfen, –*   2. _____   3. _____   4. _____

d Ergänzen Sie die Sätze mit Formen von „krankschreiben" bzw. „Krankschreibung".

1. Lass dich *krankschreiben* _____ !   3. Vom Arzt bekomme ich eine _____ !

2. Der Arzt hat mich _____ .   4. Ich bin für eine Woche _____ .

e Wie hat mich der Arzt oder die Ärztin behandelt? Was muss ich tun? Schreiben Sie.

1. zuerst – der Arzt – mich – untersuchen *Zuerst hat der Arzt mich untersucht.*

2. dann – er – mir – eine Spritze – geben *Dann hat er ...*

3. er – mir – auch – Medikamente – verschreiben *Er hat mir ...*

4. ich – Hustentropfen – nehmen – müssen *Ich muss ...*

5. und – 2x täglich – Tabletten – einnehmen _____

6. außerdem – ich – meine Brust – mit Salbe – einreiben – müssen _____

7. ich – zum Glück – kein Antibiotikum – nehmen – müssen _____

8. ich – mich – gut – ausruhen – sollen _____

3 Krank als Arbeitnehmer – Was muss man tun? › KB: B

Ersetzen Sie die Wörter und Ausdrücke in Klammern durch folgende Synonyme.

arbeitsunfähig | Diagnose | innerhalb von | Krankschreibung | übernimmt | unverzüglich

1. Wenn man *arbeitsunfähig* _____ (man kann nicht arbeiten) ist, muss man vieles machen.

2. Man muss den Arbeitgeber _____ (so schnell wie möglich) informieren.

3. Oder man muss jemanden bitten, dass er oder sie das _____ (macht).

4. Man muss in der Regel _____ (im Zeitraum von) drei Tagen das zweite Blatt der _____ (Arbeitsunfähigkeitsbescheinigung) an den Arbeitgeber schicken.

5. Und man muss der Krankenkasse das erste Blatt mit der _____ (Festtellung der Krankheit) schicken.

4 Wortbildung: Nomen mit „-ung" und „-er" aus Verben › KB: C

a Bilden Sie Nomen mit „-ung" aus den Verben. Notieren Sie auch Artikel und Plural.

1. untersuchen → *die Untersuchung, –en*   4. vertreten → _____

2. behandeln → *die Behandlung, –en*   5. sich entzünden → _____

3. sich erkälten → _____   6. verhandeln → _____

b Schauen Sie sich die Nomen in 4a an. Kreuzen Sie an und ergänzen Sie die Regel.

G

Nomen mit der Endung „-ung" sind immer a. ☐ Maskulinum.   b. ☐ Femininum. Der Plural ist immer „____".

c Personen: Bilden Sie Nomen mit „-er"/„-erin" im Singular und Plural. Achten Sie auf die Veränderungen.

1. leiten → *der Leiter, – / die Leiterin, –nen*   6. kaufen → *der Käufer,– / die Käuferin,–nen*

2. mitarbeiten → _____   7. handeln → _____

3. vertreten → _____   8. trainieren → _____

4. herstellen → _____   9. backen → _____

5. programmieren → _____   10. entwickeln → _____

d Sachen: Bilden Sie Nomen mit „-er" und notieren Sie Artikel und Plural.

1. drucken → *der Drucker, –*

2. fernsehen → _____

3. ordnen → _____

4. speichern → _____

5. transportieren → _____

6. kopieren → _____

5 Krank? Den Vertreter oder die Vertreterin per E-Mail informieren › KB: C

a Sie sind krank und wollen eine E-Mail an Ihren Vertreter / Ihre Vertreterin schreiben. Sie duzen sich und erzählen sich auch Persönliches. Bringen Sie die Inhaltspunkte in eine sinnvolle Reihenfolge.

A. Erzählen Sie dann, was Sie haben und wie Sie sich fühlen.

B. Schreiben Sie auch, was der Arzt festgestellt hat und was er Ihnen verschrieben hat.

C. Begrüßen Sie Ihren Vertreter / Ihre Vertreterin.

D. Schreiben Sie eine Grußformel.

E. Wenn Ihr Kollege / Ihre Kollegin Fragen zur Vertretung hat, kann er / sie sich melden.

F. Schreiben Sie zuletzt, dass Sie anrufen, wenn der Arzt Sie noch länger krankschreibt.

G. Informieren Sie zuerst, dass Sie krank sind und bis wann Sie krankgeschrieben sind.

H. Bitten Sie Ihren Kollegen / Ihre Kollegin, dass er / sie im Marketing wegen der Flyer anruft.

A. ⎵

B. ⎵

C. *1*

D. ⎵

E. ⎵

F. ⎵

G. ⎵

H. ⎵

b Schreiben Sie nun die E-Mail. Die Sätze und Redemittel aus den Übungen 1 und 2 helfen.

→ ✉ gerder@linger-log.eu	_ □ ✕

Hallo …,

leider …

6 Redemittel für Grafiken – Wegen welcher Erkrankungen fehlen Arbeitnehmer? › KB: D

Bilden Sie Sätze.

1. am häufigsten – Arbeitnehmer – des Muskel-Skelett-Systems – wegen Beschwerden – fehlen

   Am häufigsten fehlen Arbeitnehmer wegen Beschwerden des Muskel-Skelett-Systems.

2. deswegen – 21,7 Prozent – fehlen

   _____

3. das – jeder Fünfte – mehr als – sein

   _____

4. an zweiter Stelle – Erkältungskrankheiten – mit 16,6% – stehen

   _____

5. dann – mit 16,2 Prozent – psychische Erkrankungen – kommen

   _____

6. wegen Verletzungen – zirka jeder Achte – fehlen

   _____

Grammatik

💼 **1 Adjektivendungen nach dem Artikel – Nominativ, Akkusativ und Dativ** › KB: A2

a Ergänzen Sie die Adjektivendungen.

Singular

Artikel	Nominativ	Akkusativ	Dativ
bestimmt	der stark*e__* Schmerz	den stark*en__* Schmerz	dem stark*en__* Schmerz
	das aktuell___ Problem	das aktuell___ Problem	dem aktuell___ Problem
	die schwer___ Erkältung	die schwer___ Erkältung	der schwer___ Erkältung
unbestimmt	ein stark*er__* Schmerz	einen stark*en__* Schmerz	einem stark*en__* Schmerz
	ein aktuell___ Problem	ein aktuell___ Problem	einem aktuell___ Problem
	eine schwer___ Erkältung	eine schwer___ Erkältung	einer schwer___ Erkältung
Negativ	kein stark___ Schmerz	keinen stark___ Schmerz	keinem stark___ Schmerz
	kein aktuell___ Problem	kein aktuell___ Problem	keinem aktuell___ Problem
	keine schwer___ Erkältung	keine schwer___ Erkältung	keiner schwer___ Erkältung
Possessiv	mein stark___ Schmerz	meinen stark___ Schmerz	meinem stark___ Schmerz
	mein aktuell___ Problem	mein aktuell___ Problem	meinem aktuell___ Problem
	meine schwer___ Erkältung	meine schwer___ Erkältung	meiner schwer___ Erkältung

Plural

Artikel	Nominativ	Akkusativ	Dativ
bestimmt	die aktuell*en__* Schmerzen / Probleme / Erkältungen	die aktuell___ Schmerzen / Probleme / Erkältungen	den aktuell___ Schmerzen / Problemen / Erkältungen
unbestimmt	Ø aktuell___ Schmerzen / Probleme / Erkältungen	Ø aktuell___ Schmerzen / Probleme / Erkältungen	Ø aktuell___ Schmerzen / Problemen / Erkältungen
Negativ	keine aktuell___ Schmerzen / Probleme / Erkältungen	keine aktuell___ Schmerzen / Probleme / Erkältungen	keinen aktuell___ Schmerzen / Problemen / Erkältungen
Possessiv	meine aktuell___ Schmerzen / Probleme / Erkältungen	meine aktuell___ Schmerzen / Probleme / Erkältungen	meinen aktuell___ Schmerzen / Problemen / Erkältungen

b Steht das Adjektiv im Nominativ (N), Akkusativ (A) oder Dativ (D)? Notieren Sie „N", „A" oder „D". Ergänzen Sie dann die passenden Adjektivendungen.

1. Vera hat einen unangenehmen*en* Schnupfen. *A*
2. Ihr ganz___ Körper tut ihr weh. ⌐
3. Mara hat stark___ Rückenschmerzen. ⌐
4. Vera empfiehlt der nett___ Kollegin einen Arzt. ⌐
5. Sie kennt auch eine gut___ Physiotherapeutin. ⌐
6. Mara meint, das ist nur ein klein___ Problem. ⌐
7. Sie braucht einen neu___ Bürostuhl. ⌐
8. Sie muss auf die richtig___ Sitzposition achten. ⌐
9. Die meist___ Leute sitzen falsch. ⌐
10. Das richtig___ Sitzen ist aber wichtig. ⌐
11. Der freundlich___ Arzt informiert darüber. ⌐
12. Das hilft dem ganz___ Team. ⌐

**2 Präpositionen mit Akkusativ, Dativ und mit Akkusativ oder Dativ
(„Wechselpräpositionen")** › KB: A2 › B: G6

a Präpositionen mit Akkusativ – bis, durch, entlang, für, gegen, ohne, um: Ergänzen Sie die passenden Präpositionen und Endungen.

bis | durch | für | ~~gegen~~ | gegen | ohne | um

[1] *Gegen* ihre Erkältung hat Vera lange nur Hustentropfen genommen. Jetzt ist sie

[2] _____ Freitag, d___ 15.7. krankgeschrieben. Der Arzt hat eine schwere Bronchitis diagnostiziert. Aus

dem Grund geht es nicht [3] _____ Antibiotikum. [4] _____ Vera ist das nicht angenehm. Aber es geht

[5] _____ d___ Gesundheit und [6] _____ ein___ Bronchitis braucht man ein Antibiotikum.

Hoffentlich geht es ihr [7] _____ d___ Behandlung bald besser.

b Präpositionen mit Dativ – ab, aus, bei, mit, nach, seit, von, zu: Bilden Sie Sätze.

1. Marga – seit – eine Woche – Rückenschmerzen – haben
   Marga hat seit einer Woche Rückenschmerzen.

2. von – ein Kollege – sie – die Adresse – von – eine Orthopädin – bekommen
   Von einem Kollegen ...

3. bei – die Untersuchung – sie – starke Schmerzen – haben

4. aus – dieser Grund – die Ärztin – sie – krankschreiben

5. sie – sie – zu – ein Physiotherapeut – schicken

6. Marga – lange – mit – der Therapeut – sprechen

7. nach – die Behandlung – Marga – viel besser – sich fühlen

8. aber – Marga – erst – ab – der 1. April – wieder – ins Büro – gehen

c Präpositionen mit Dativ oder Akkusativ („Wechselpräpositionen") – an, auf, in, hinter, vor, über, unter, neben, zwischen: „Wohin" oder „Wo"? Was ist richtig: a oder b? Kreuzen Sie an.

1. Marga geht in   a. ☒ die   b. ☐ der   orthopädische Praxis.
2. Sie sitzt 3 Stunden   a. ☐ ins   b. ☐ im   Wartezimmer.
3. Neben   a. ☐ sie   b. ☐ ihr   sitzt eine junge Frau; die wartet schon lange.
4. Marga geht vor   a. ☐ die   b. ☐ der   Tür und hofft, dass sie die Orthopädin sieht.
5. Neben   a. ☐ die   b. ☐ der   Tür gibt es einen Getränkeautomaten.
6. Marga will einen Euro in a. ☐ den   b. ☐ dem   Automaten stecken.
7. Das Geld fällt auf   a. ☐ den   b. ☐ dem   Boden und Marga muss es suchen.
8. Sie findet es zwischen   a. ☐ den   b. ☐ dem   Schirmständer und der Garderobe.
9. Da ruft sie die Ärztin   a. ☐ ins   b. ☐ im   Behandlungszimmer.

3 Gründe ausdrücken – Präposition „wegen"+ Genitiv › KB: A2

a Warum? Wegen ... – Ergänzen Sie die Endungen.

1. Warum fühlt Vera sich nicht wohl? a. Wegen ihr*es* Husten*s*. b. Wegen d____ Halsschmerzen.

2. Warum ist Anton übel? a. Wegen d____ Essen____. b. Wegen sein____ Magen____.

3. Warum bleibst du zu Hause? a. Wegen d____ Fieber____. b. Wegen mein____ Grippe.

b Adjektive im Genitiv nach dem Artikel: Ergänzen Sie die Endungen.

Singular	Maskulinum (M)	Neutrum (N)	Femininum (F)	Plural (M / N / F)
best. Artikel	des stark*en* Schmerzes	des aktuell____ Problems	der schwer____ Erkältung	der aktuell____ Schmerzen / Probleme / Erkältungen
unbest. Artikel	eines stark____ Schmerzes	eines aktuell____ Problems	einer schwer____ Erkältung	Ø aktuell____ Schmerzen / Probleme / Erkältungen
Negativ-artikel	keines stark____ Schmerzes	keines aktuell____ Problems	keiner schwer____ Erkältung	keiner aktuell____ Schmerzen / Probleme / Erkältungen
Possessiv-artikel	meines stark____ Schmerzes	meines aktuell____ Problems	meiner schwer____ Erkältung	meiner aktuell____ Schmerzen / Probleme / Erkältungen

c Warum? Weswegen? – Beantworten Sie die Fragen mit „wegen" wie im Beispiel.

1. Warum geht Anton zum Arzt? (sein – stark – Magenbeschwerden)

   Wegen seiner starken Magenbeschwerden geht Anton zum Arzt. / Anton geht wegen seiner starken

   Magenbeschwerden zum Arzt.

2. Warum gibt es beim Arzt Probleme? (das – defekt – Röntgengerät)

   _____

   _____

3. Warum muss Anton zwei Stunden in der Praxis warten? (die – viel – krank – Menschen)

   _____

   _____

4. Warum geht es Anton bald wieder besser? (die – gut – Behandlung)

   _____

   _____

4 Und nun alles zusammen › KB: A2

Ergänzen Sie die Adjektivendungen. Überlegen Sie, ob das Adjektiv im Nominativ, Akkusativ, Dativ oder Genitiv steht.

Eine sehr [1] krank *e*____ Patientin geht wegen ihres [2] schrecklich____ Hustens und ihrer [3] stark____

Halsschmerzen zu ihrem [4] alt____ Hausarzt. Der Arzt macht eine sehr [5] genau____ Untersuchung und

diagnostiziert eine [6] schwer____ Bronchitis. Sie muss ein [7] stark____ Antibiotikum nehmen und soll die Brust

mit einem [8] pflanzlich____ Mittel einreiben. Außerdem soll sie im Bett bleiben. Das ist wirklich keine

[9] angenehm____ Situation. Aber nach [10] lang____ 14 Tagen ist sie endlich wieder gesund und kann zurück zur

Arbeit und zu ihren [11] nett____ Kollegen.

5 Adjektivendungen vor Nomen ohne Artikel: die „Signalendungen" -r/-s/-e/-m/-n › KB: A2

a Schauen Sie sich zuerst die Adjektivendungen in der Tabelle an. Was fällt auf? Ergänzen Sie die Regel.

	Maskulinum	Neutrum	Femininum	Plural (M, N, F)
Nominativ	der starke Schmerz	das falsche Sitzen	die große Angst	die starken Schmerzen / ...
	starker Schmerz	falsches Sitzen	große Angst	starke Schmerzen / ...
Akkusativ	den starken Schmerz	das falsche Sitzen	die große Angst	die starken Schmerzen / ...
	starken Schmerz	falsches Sitzen	große Angst	starke Schmerzen / ...
Dativ	von dem starken Schmerz	von dem falschen Sitzen	von der großen Angst	von den starken Schmerzen / ...
	von starkem Schmerz	von falschem Sitzen	von großer Angst	von starken Schmerzen / ...
Genitiv	wegen des starken Schmerzes	wegen des falschen Sitzens	wegen der großen Angst	wegen der starken Schmerzen / ...
	wegen starken Schmerzes	wegen falschen Sitzens	wegen großer Angst	wegen starker Schmerzen / ...

Ⓖ

Wenn vor einem Nomen _____ Artikel steht, bekommt das Adjektiv die gleiche Endung wie der bestimmte Artikel, z. B. der Schmerz → starker Schmerz; dem Sitzen → falschem Sitzen.
Ausnahme: Genitiv Maskulinum und Neutrum Singular → Adjektivendung: „-en".

b Ergänzen Sie in der Tabelle die Adjektivendungen vor Nomen ohne Artikel.

	Adjektivendungen vor Nomen ohne Artikel			
	M	N	F	Pl. (M, N, F)
Nominativ	-(e)r		-e	
Akkusativ		-(e)s		
Dativ			-(e)r	
Genitiv	-(e)n	-(e)n		

c Überlegen Sie, ob die markierten Nomen Maskulinum (M), Neutrum (N) oder Femininum (F) sind und notieren Sie. Ergänzen Sie dann die passenden Adjektivendungen.

1. Wegen dauernden Hustens (_M_) ist Vera schon ganz schwach.

2. Mit groß_____ Angst (____) geht sie zum Internisten.

3. Wegen falsch_____ Sitzens (____) hat Marga Rückenschmerzen.

4. Wegen stark_____ Übelkeit (____) geht Anton nach Hause.

5. Am nächst_____ Montag (____) kommt Vera wieder zur Arbeit.

6. Anton hatte groß_____ Stress (____) bei ihrer Vertretung.

7. Denn er hatte oft mit unzufrieden_____ Kunden (____) Probleme.

8. Mit der Hilfe von freundlich_____ Kolleginnen (____) fand er aber immer eine Lösung.

6 Gründe ausdrücken mit „denn", „weil" und „da" › KB: C2

a Verbinden Sie die Sätze mit „denn".

1. Vera kommt nicht zur Arbeit. Sie ist krank.

   Vera kommt nicht zur Arbeit, denn sie ist krank.

2. Sie schreibt eine Abwesenheitsnotiz. Sie ist zurzeit nicht erreichbar.

   _____

3. In dringenden Fällen kann man sich an Anton Krug wenden. Er ist ihr Vertreter.

   _____

4. Anton hat jetzt sehr viel Arbeit. Er muss die Konferenz allein vorbereiten.

   _____

b Formulieren Sie die Sätze in 6a mit „weil" um.

1. *Vera kommt nicht zur Arbeit, weil sie krank ist. / Weil Vera krank ist, kommt sie nicht zur Arbeit.*

2. _____

3. _____

4. _____

c Formulieren Sie Sätze mit „da".

1. Vera muss zum Internisten, denn ihr Arzt will eine Röntgenaufnahme der Lunge.

   Da Veras Arzt eine Röntgenaufnahme der Lunge will, muss sie zum Internisten.

2. Sie ist für 10 Tage krankgeschrieben. Denn sie hat eine schwere Bronchitis.

   _____

3. Anton muss sich um den Katalog kümmern. Denn die Chefin braucht ihn bei ihrer Dienstreise.

   _____

4. Anton ruft Vera an, denn er kann die Unterlagen nicht auf ihrem Schreibtisch finden.

   _____

5. Er macht viele Überstunden. Denn er muss für Vera viele Aufgaben erledigen.

   _____

> **TIPP**
> „da" verwendet man meist, wenn der Gesprächspartner d[...] Grund schon kennt. „da" steht häufig am Anfang des Satzes.

7 Aus diesem Grund – Sätze mit „deshalb"/„daher"/„darum"/„deswegen" › KB: C2

a Lesen Sie die Sätze und markieren Sie jeweils den Satz mit dem Grund.

1. Vera hat hohes Fieber. Sie muss im Bett bleiben.
2. Sie muss eine Röntgenaufnahme machen. Ihr Hausarzt vermutet eine Lungenentzündung
3. Der Hausarzt hat keinen Röntgenapparat. Sie muss zum Internisten gehen.
4. Sie hat nur eine Bronchitis. Sie ist froh.
5. Sie muss viel husten. Sie hat starke Schmerzen.

b Schreiben Sie die Sätze aus 7a mit „deshalb" / „daher" / „darum" / „deswegen" in die Tabelle. Achten Sie auf die Stellung des Verbs im 2. Satz. › KB: C2

Vor Sätzen mit „deshalb" / „daher" / „darum" / „deswegen" kann ein Komma oder ein Punkt stehen.

1. Hauptsatz (hier steht der Grund)	2. Hauptsatz (aus diesem Grund folgt …)		
1. Vera hat hohes Fieber,	deshalb	muss	sie im Bett bleiben.
2. Ihr …	daher		
3.			
4.			
5.			

c Schreiben Sie die Sätze aus 6c mit „deshalb" / „daher" / „darum" / „deswegen" in die Tabelle.

1. Hauptsatz (hier steht der Grund)	2. Hauptsatz (aus diesem Grund folgt …)		
1. Veras Arzt will eine Röntgenaufnahme der Lunge.	Deshalb	muss	sie zum Internisten.
2.			
3.			
4.			
5.			

d Bilden Sie Sätze mit „deshalb" / „daher" / „darum" / „deswegen". Überlegen Sie immer, in welchem Satz der Grund steht und markieren Sie ihn.

1. das Attest – zum Arbeitgeber – schnell – müssen / Veras Mann – es – heute – zur Post – bringen
   Das Attest muss schnell zum Arbeitgeber, darum bringt Veras Mann es heute zur Post.

2. er – schnell – fertig werden – müssen / die Chefin – den Katalog – für eine Dienstreise – brauchen
   Die Chefin braucht den Katalog für eine Dienstreise. Deshalb muss er schnell fertig werden.

3. es – dringend – sehr – sein / der Vertreter – das – erledigen – müssen

4. sie – krank – zur Arbeit – gehen / viele Arbeitnehmer – nicht – fehlen – wollen

5. die Arbeitnehmer – ihre Arbeit – pünktlich – erledigen – wollen / sie – Überstunden – machen

6. Büroangestellte – oft – Rückenbeschwerden – haben / eine gute Sitzposition – sehr wichtig – sein

7. heute – in vielen Unternehmen – Sportprogramme – es geben / gesunde Arbeitnehmer – besser – arbeiten

8. viele – durch Sport – besser – sich fühlen / sie – gern – am Sportprogramm – teilnehmen

Wortschatz und Schreiben

1 Verben aus Dienstleistung und Handel › KB: A

a **Welches Wort passt? Ergänzen sie es in der passenden Form.**

anbieten | erwirtschaften | produzieren | vertreiben

beliefern | einstellen | gründen | herstellen

verkaufen | liefern | wachsen | gehören

A

LAUF AG

Die Lauf AG ist ein Sport-
artikelhersteller. Sie
[1] _produziert_ vom
Sportschuh bis zum Fitness-
gerät alles, was mit Sport zu
tun hat. Mit ihren Produkten
[2] _____ die
Lauf AG einen Gewinn von
13 Millionen im Jahr. Das Unternehmen [3] _____
seine Produkte weltweit auch
über das Internet. In Zukunft
möchte die Lauf AG auch
Spezialnahrung für Sportler
[4] _____.

B

Sara Piras
izzaservice

Sara Piras Pizzaservice ist eine
Lieferfirma aus Berlin. Sara
Piras [1] _gründete_
ihren Pizzaservice 2001.
Zu Beginn musste sie die Pizza
noch in der Küche zu Hause
[2] _____,
aber schon 2002 konnte sie
einen Pizzaladen eröffnen und
5 Mitarbeiter [3] _____.
Heute hat sie 40 Mitarbeiter
und 5 Pizzaläden und
[4] _____
Haushalte in ganz Berlin mit
Pizzen aller Art.

C

HANDGEMACHT

„Handgemacht" ist
eine Biobäckerei mit Café
aus Stuttgart. Zu ihr
[1] _gehören_
acht Filialen. Die Biobäckerei
[2] _____
außerdem Brot, Kuchen und
Brötchen an 18 Lebensmittelgeschäfte. In ihren Cafés
[3] _____
„Handgemacht" auch frische
Säfte und Müslis. So konnte der
Umsatz des Unternehmens im
letzten Jahr um 8%
[4] _____.

b **Trennbar oder nicht? Markieren Sie die Vorsilbe und bauen Sie die Verben im Präsens in die Sätze ein.** › K1: W4, 5

1. **herstellen** → Die Firma geobra Brandstätter Stiftung & Co. KG _stellt_ Spielzeug für Kinder _her_ .

2. **verkaufen** → Die Firma _verkauft_ das Spielzeug in die ganze Welt ―――――.

3. gehören → Die Playmobil-Werke _____ zur geobra Brandstätter Stiftung & Co. KG. _____.

4. beliefern → Der A&O Lieferservice _____ Heim- und Bürokunden mit Getränken _____.

5. einstellen → Das Unternehmen wächst und _____ neue Mitarbeiter _____.

6. bestellen → Heute _____ auch viele Privatkunden beim A&O Lieferservice _____.

7. annehmen → A&O _____ die Bestellungen telefonisch und über Internet _____.

8. anbieten → Der SuperBioMarkt _____ 7.000 Artikel aus ökologischem Anbau _____.

9. eröffnen → Bio ist in Mode, daher _____ immer mehr Bioläden _____.

c Wie kann man noch sagen? Ordnen Sie die Verben bzw. Ausdrücke in der passenden Form zu.

> bestellen | erwirtschaften | handeln | ~~vermarkten~~ | versorgen | tätig sein

1. Die Lauf AG bringt ein neues Produkt auf den Markt. = Die Lauf AG *vermarktet* ein neues Produkt.

2. Sie macht einen Gewinn von 5 Millionen Euro im Jahr. = Sie _____ 5 Millionen Euro im Jahr.

3. Ein Arbeitnehmer arbeitet in der Dienstleistungsbranche. = Er _____ in der

   Dienstleistungsbranche _____.

4. Das Unternehmen kauft und verkauft Hemden. = Das Unternehmen _____ mit Bekleidung.

5. Ein Kunde möchte eine Ware und gibt einem Unternehmen den Auftrag, dass es die Ware liefert. =

   Er _____ die Ware bei einem Unternehmen.

6. Der Stadtteil bekommt Backwaren von der Biobäckerei Handgemacht. = Die Biobäckerei Handgemacht

   _____ den ganzen Stadtteil mit Backwaren.

2 Nomen + Nomen = Nomen › KB: A, B › K1: W1

a Ordnen Sie die Nomen den Erklärungen zu.

> Firmengruppe | Gastronomiebetrieb | Kreditinstitut | Kundenbindung | ~~Produktentwicklung~~ |
> Spielwarenhersteller | Zusatzausbildung

1. Die Entwicklung eines Produkts ist eine *Produktentwicklung* _____.

2. Eine Ausbildung, die man zusätzlich macht, ist eine _____.

3. Firmen, die in einer Gruppe zusammengehören, sind eine _____.

4. Hersteller, die Spielwaren produzieren, sind _____.

5. Ein Betrieb, der in der Gastronomie tätig ist, ist ein _____.

6. Ein Institut, zum Beispiel eine Bank, das Kredite gibt, ist ein _____.

7. Die Bindung eines Kunden an ein Unternehmen oder an ein Produkt ist eine _____.

b Bilden Sie Nomen. Lesen Sie den Tipp unten und achten Sie auf die Verbindungsbuchstaben „s" und „n".
Notieren Sie auch den Artikel und Plural.

1. das Unternehmen + *s* + die Beschreibung = *die Unternehmensbeschreibung, -en*

2. die Branche + *n* + das Verzeichnis = *das Branchenverzeichnis, -se*

3. der Verkauf + ____ + der Hit = _____

4. der Handel + ____ + das Unternehmen = _____

5. die Spielware + ____ + die Industrie = _____

6. der Vertrieb + ____ + der Weg = _____

7. die Wirtschaft + ____ + der Bereich = _____

8. das Handwerk + ____ + die Tradition = _____

9. der Kunde + ____ + der Service = _____

10. die Qualität + ____ + das Bier = _____

11. das Geschäft + ____ + die Idee = _____

12. die Finanzierung + ____ + der Plan = _____

> **TIPP**
>
> Nomen mit den Endungen
> „-ung", „-tät" oder „-schaft"
> erhalten ein Verbindungs-s.
> Nomen mit der Endung „-e"
> erhalten meist ein
> Verbindungs-n.

3 Welches Verb passt? › KB: A, B

Welches Verb passt zum Nomen: a, b oder c? Kreuzen Sie an.

		a.	b.	c.
1.	eine neue Filiale	a. ☐ erhöhen	b. ☒ eröffnen	c. ☐ ergänzen
2.	einen Service	a. ☐ anbieten	b. ☐ anprobieren	c. ☐ anziehen
3.	in eine Marktlücke	a. ☐ fallen	b. ☐ fahren	c. ☐ stoßen
4.	neue Mitarbeiter	a. ☐ bestellen	b. ☐ einstellen	c. ☐ ausstellen
5.	Kunden	a. ☐ gewinnen	b. ☐ einkaufen	c. ☐ verkaufen
6.	ein Produkt	a. ☐ schließen	b. ☐ eröffnen	c. ☐ vermarkten
7.	ein Unternehmen	a. ☐ weiterführen	b. ☐ weiterfahren	c. ☐ herstellen

4 Die eigene Geschäftsidee präsentieren › KB: B

a Was gehört zusammen? Ordnen Sie zu.

1.	Wir haben	A.	beabsichtigen, …	1.	_B_
2.	Unsere Idee	B.	vor, …	2.	☐
3.	Wir stellen	C.	zu …	3.	☐
4.	Wir haben	D.	uns vor, …	4.	☐
5.	Wir	E.	ist, …	5.	☐
6.	Wir möchten Ihnen zuerst etwas	F.	Ihnen, dass …	6.	☐
7.	Nun komme ich	G.	über uns erzählen.	7.	☐
8.	Wir danken	H.	beschlossen, …	8.	☐

> Wir haben vor, …

b Sie haben eine Geschäftsidee: Lesen Sie die Punkte unten und schreiben Sie mit den Redemitteln eine Präsentation.

> Wir sind … | Wir möchten … eröffnen. | Unsere Idee ist, … herzustellen / zu produzieren und unsere Produkte in unserem Laden zu verkaufen / anzubieten. | Unser Unternehmen heißt … | Der Markt ist groß / interessant, weil … | Als Startkapital bringen wir … mit.

Sie sind: Silvia und Ines Lösch
Ihre Idee: ein Laden mit Backshop, Produktion und Verkauf von Brot, Brötchen, Gebäck im Geschäft
Name des Unternehmens: Silvis & Ines' Backladen
Ihre Kunden: in der Nähe Unternehmen mit vielen Angestellten
Ihr Kapital: 25.000 Euro Eigenkapital, 13.000 Euro als Sachwerte (Ladeneinrichtung)

5 Wortbildung: Nomen mit „-keit" aus Adjektiven › KB: C

a Bilden Sie Nomen mit „-keit" aus den Adjektiven. Notieren Sie auch den Artikel und Plural, wenn möglich.

1.	möglich	→ _die Möglichkeit, -en_	4.	freundlich	→ _____
2.	selbstständig	→ _____	5.	öffentlich	→ _____
3.	fähig	→ _____	6.	tätig	→ _____

b Schauen Sie sich die Nomen in 5a an. Was ist richtig: a oder b? Kreuzen Sie an und ergänzen Sie die Regel.

Nomen mit der Endung „-keit" sind immer a. ☐ Maskulinum. b. ☐ Femininum.
Die Pluralendung ist immer „_____".

Ⓖ

6 Gesellschaftsformen › KB: C

a Bilden Sie Nomen mit „Vermögen", „Gesellschaft" und „Inhaber".

[mit | privat | Firmen | Firmen | Form | Gesellschaft | Handel | ~~Unternehmen~~

1. die *Unternehmen* _____ + s + gesellschaft
2. die _____ + s + gesellschaft
3. die Gesellschaft + s + _____
4. der _____ inhaber

5. der _____ inhaber
6. das _____ vermögen
7. das _____ vermögen
8. das _____ + s + vermögen

b Welches Kapital hat ein Unternehmensgründer? Was ist die richtige Erklärung? Ordnen Sie zu.

1.	Eigenkapital	A.	Eigenes oder fremdes Kapital, das ein Gründer beim Beginn der Unternehmensgründung hat.	1. _D_
2.	Fremdkapital	B.	Maschinen, Werkzeuge, Häuser, die jemand in ein Unternehmen einbringt. Bargeld gehört nicht dazu.	2. ⎵
3.	Startkapital	C.	Kapital, das ein Unternehmensgründer als Minimum braucht, wenn er z. B. eine GmbH gründen möchte.	3. ⎵
4.	Mindestkapital	D.	Kapital, das ein Gründer mitbringt, weil er es zum Beispiel gespart hat.	4. ⎵
5.	Sacheinlage	E.	Kapital in Geld- oder Sachwerten, das jemand in ein Unternehmen einbringt.	5. ⎵
6.	Kapitaleinlage	F.	Kapital, das ein Unternehmensgründer selbst nicht hat: Andere geben oder leihen es ihm.	6. ⎵

c Welches Wort passt?

[der Ansprechpartner | ~~der Firmeninhaber~~ | die Haftung | die Rechtsform | der Versandhandel

1. *der Firmeninhaber* _____ = Die Person, der eine Firma gehört.
2. _____ = Die Person, die man um Rat bitten kann.
3. _____ = Die Gesellschaftsform eines Unternehmens.
4. _____ = Ein Unternehmen geht pleite. Der Inhaber muss den Schaden bezahlen.
5. _____ = Ein Unternehmen verkauft Produkte über Katalog bzw. Internet und schickt sie an die Besteller.

d Welche zwei Verben passen zu den Nomen? Kreuzen Sie an.

		a.	b.	c.
1.	ein Unternehmen	☐ ersetzen	☒ besitzen	☒ gründen
2.	eine Gesellschaftsform	☐ wählen	☐ vorhaben	☐ anmelden
3.	Beratung	☐ bekommen	☐ suchen	☐ zurückzahlen
4.	einen Schaden	☐ verwenden	☐ ersetzen	☐ haben
5.	für einen Schaden	☐ haften	☐ aufnehmen	☐ zahlen
6.	einen Teil des Gewinns	☐ ausgeben	☐ ausschenken	☐ zurücklegen
7.	einen Kredit	☐ sein	☐ zurückzahlen	☐ aufnehmen
8.	mit seinem Unternehmen	☐ bankrottgehen	☐ pleitegehen	☐ bekommen

Kapitel 3

Grammatik

1 Infinitiv mit „zu" › KB: B2

a Bilden Sie Infinitive mit „zu". Wo steht das „zu"? Markieren Sie es.

1. anbieten → *anzubieten*
2. vertreiben → *zu vertreiben*
3. produzieren → *zu produzieren*
4. vorstellen → _____
5. erzählen → _____

6. beliefern → _____
7. einplanen → _____
8. experimentieren → _____
9. mitbringen → _____
10. vermarkten → _____

b Formulieren Sie Infinitivsätze mit „zu".

1. Die Geschäftsgründer sind sicher: einen guten Plan für ihre Brauerei haben.
   Die Geschäftsgründer sind sicher, einen guten Plan für ihre Brauerei zu haben.

2. Sie glauben: die richtigen Kenntnisse mitbringen
   Sie glauben, die richtigen Kenntnisse mitzubringen.

3. Sie hoffen: einen Kredit von der Bank erhalten
   Sie hoffen, einen Kredit von der Bank zu erhalten.

4. Sie haben vor: der Bank ihre Geschäftsidee gut vorstellen
   _____

5. Sie beabsichtigen: einen Kredit aufnehmen
   _____

6. Sie sind sicher: gute Bierbrauer sein
   _____

7. Sie haben vor: mit dem Geld eine alte Brauerei modernisieren
   _____

8. Sie planen: neue Maschinen kaufen
   _____

9. Sie erwarten: bald einen hohen Umsatz erzielen
   _____

10. Sie versprechen: den Kredit pünktlich zurückzahlen
    _____

11. Sie planen: neue Biermarken erfinden
    _____

12. Sie beschließen: bald mit der Rückzahlung des Kredits anfangen
    _____

13. Sie wünschen sich: das Unternehmen lange weiterführen
    _____

2 Präpositionaladverbien und Infinitiv mit „zu" › KB: B2 › B: K1: G,7

› KB: B2 › B: K1: G,7

a **Formulieren Sie Infinitivsätze.**

1. die Gründer – klagen darüber – , – nicht genug Vermögen – haben

   Die Gründer klagen darüber, nicht genug Vermögen zu haben.

2. sie – sich dafür interessieren – , – ein Ladenlokal – mieten – und – Bier – verkaufen

   _____

3. sie – daran glauben – , – mit ihrer Geschäftsidee – Erfolg – haben

   _____

b **Bilden Sie Sätze mit Präpositionaladverbien und Infinitiv mit „zu".**

1. sie – denken an – , – Geld – von den Eltern – ausleihen

   Sie denken daran, von den Eltern Geld auszuleihen.

2. sie – nachdenken über – , – einen Kredit – aufnehmen

   _____

3. sie – hoffen auf – , – bald – schuldenfrei – sein

   _____

TIPP

Präpositionaladverbien:
„da" + (r) + Präposition:
darauf, darüber, damit, …

HANDWERKSBRÄU

3 Infinitivsätze und „dass"-Sätze › KB: B2

› KB: B2

a **Lesen Sie die Infinitivsätze und die „dass"-Sätze. Markieren Sie die Subjekte und kreuzen Sie in der Regel an.**

1. a. Die Gründer wünschen sich, dass sie erfolgreich sind.
   b. Die Gründer wünschen sich, erfolgreich zu sein.
2. a. Die Gründerinnen haben beschlossen, dass sie einen Teil ihres Gewinns zurücklegen.
   b. Die Gründerinnen haben beschlossen, einen Teil ihres Gewinns zurückzulegen.

Wenn die Subjekte im Hauptsatz und im „dass"-Satz gleich sind, kann man
a. ☐ Infinitivsätze mit „zu" bilden.   b. ☐ keine Infinitivsätze mit „zu" bilden.

G

b **Formulieren Sie „dass"-Sätze. Markieren Sie dann die Subjekte.**

1. die Unternehmensgründerinnen – sich freuen – , – sie – gute Mitarbeiter – im Team – haben

   Die Unternehmensgründerinnen freuen sich, dass sie gute Mitarbeiter im Team haben.

2. die Mitarbeiter – sich wünschen – , – das Team – nett – sein

   _____

3. alle – hoffen – , – das Unternehmen – erfolgreich – sein

   _____

4. alle – hoffen – , – sie – Gewinn machen

   _____

5. die Mitarbeiter – beschließen – , – sie – Überstunden – machen

   _____

c Mit welchen Sätzen in 3b kann man eine Infinitivkonstruktion mit „zu" bilden? Formulieren Sie die Sätze.

1. *Die Unternehmensgründerinnen freuen sich, gute Mitarbeiter im Team zu haben.*
2. _____
3. _____
4. _____
5. _____

4 Typische Ausdrücke und Verben mit „dass" bzw. mit Infinitiv mit „zu" › KB: B2

a Ordnen Sie die Verben und Ausdrücke zu.

> Es ist ein Problem, … | Wir freuen uns, … | Wir planen, … | Es ist (nicht) gut, … | Man hat Angst, … |
> Es ist interessant, … | Es ist (keine) Zeit, … | Es ist schwierig, … | Es gefällt mir, … |
> Ich wünsche mir, … | Wir haben vor, … | Es ist (nicht) wichtig, … | Das Ziel ist, …

1. „Es ist" + Adjektiv: _____

2. Nach Ausdrücken: *Es ist ein Problem, …* _____

3. Nach Verben der Absicht, des Wunsches, der Emotion: _____

b Bilden Sie Sätze mit „dass" bzw. Infinitiv mit „zu".

1. Es ist ein Problem,   a. die Bank keinen Kredit geben   *dass die Bank keinen Kredit gibt.*
                         b. einen Kredit bekommen   *einen Kredit zu bekommen.*

2. Die Gründer planen,   a. Brot selbst herstellen   _____
                         b. eine Bäckerei das Brot backen   _____

3. Sie wünschen sich,   a. die Ladenmiete preiswert sein   _____
                        b. eine gute Immobilie finden   _____

5 Das Gründerteam darf, muss und kann › KB: C2

a Formulieren Sie Sätze mit dem Infinitiv mit „zu" und mit „dass".

1. Das Gründerteam ist besorgt: den Kredit – nicht zurückzahlen – können

   Das Gründerteam ist besorgt, den Kredit nicht zurückzahlen zu können.

   Das Gründerteam ist besorgt, dass es den Kredit nicht zurückzahlen kann.

2. Das Gründerteam freut sich: den Finanzierungsplan – der Bank – vorstellen – dürfen

   _____

   _____

3. Das Gründerteam hat Angst: sehr hohe Zinsen – zahlen – müssen

   _____

   _____

4. Das Gründerteam ist sicher: bald – gute Mitarbeiter – auswählen und einstellen – können

   _____

   _____

b Lesen Sie die Infinitivsätze mit „zu" in 5a noch einmal und markieren Sie das „zu".
Kreuzen Sie dann in der Regel an.

Bei Infinitivsätzen mit „zu" + Modalverb steht das „zu"   a. ☐ vor   b. ☐ nach   dem Modalverb.

Ⓖ

6 Die Modalverben „können" und „sollen" › KB: C2

a Schreiben Sie das Präsens, das Präteritum und den Konjunktiv II von „können" in die Tabelle.

können	Präsens		Präteritum		Konjunktiv II
ich	*kann*	ich	*konnte*	ich	*könnte*
du		du		du	
er / sie / es		er / sie / es		er / sie / es	
wir		wir		wir	
ihr		ihr		ihr	
sie / Sie		sie / Sie		sie / Sie	

b Schreiben Sie das Präsens, das Präteritum und den Konjunktiv II von „sollen" in die Tabelle.

sollen	Präsens		Präteritum		Konjunktiv II
ich		ich		ich	
du		du		du	
er / sie / es	*soll*	er / sie / es	*sollte*	er / sie / es	*sollte*
wir		wir		wir	
ihr		ihr		ihr	
sie / Sie		sie / Sie		sie / Sie	

c Vergleichen Sie in 6a und 6b das Präteritum und den Konjunktiv II von „können" und „sollen" und kreuzen Sie
in den Regeln an.

Ⓖ

1. Das Präteritum und der Konjunktiv II des Modalverbs „können" sind
   a. ☐ gleich.   b. ☐ nicht gleich, im Konjunktiv II gibt es einen Umlaut.
2. Das Präteritum und der Konjunktiv II des Modalverbs „sollen" sind
   a. ☐ gleich.   b. ☐ nicht gleich.

d Lesen Sie die Sätze und markieren Sie jeweils das Modalverb und das Vollverb.

1. Frau Skopp soll für ihre Firmengründung ein Unternehmenskonzept erstellen.
2. Sie kann sich an die IHK wenden.
3. Die Sachbearbeiterin kann ihr helfen.
4. Frau Skopp soll auch einen Finanzplan machen.
5. Schon nach sechs Monaten kann sie ihr Unternehmen anmelden.

e Formulieren Sie Sätze und schreiben Sie sie in die Tabelle.

1. man – ohne Plan – kein Unternehmen – gründen – sollen
2. Unternehmensgründer – auf Gründerportalen – Hilfe – bekommen – können
3. bei der IHK – man – Beratung – finden – können
4. ohne Eigenkapital – man – keinen Kredit – bekommen – können
5. über mögliche Rechtsformen – man – früh – sich informieren – sollen

	Satzklammer		
Position 1	**Position 2: Modalverb**		**Satzende: Vollverb**
1. Man	soll	ohne Plan kein Unternehmen	gründen.
2.			
3.			
4.			
5.			

7 „können" und „sollen" im Konjunktiv II – Empfehlungen oder Bitten um Rat › KB: C2

Drücken die Sätze eine Empfehlung (E) oder eine Bitte um einen Rat (BR) aus? Kreuzen Sie an: E oder BR.

	E	BR
1. Könnten Sie uns etwas zu den Krediten sagen?	☐	☒
2. Sie sollten ihren Finanzplan verbessern.	☒	☐
3. Du solltest dir von deinen Eltern kein Geld leihen.	☐	☐
4. Wo könnten wir Informationen für die Unternehmensgründung finden?	☐	☐
5. Ihr solltet immer Geld zurücklegen.	☐	☐
6. Sollten wir unsere Mitarbeiter am Gewinn beteiligen?	☐	☐
7. Könnten wir nicht eine GbR gründen?	☐	☐

8 Der Konjunktiv II von „werden" › KB: C2

a Schreiben Sie das Präsens, das Präteritum und den Konjunktiv II von „werden" in die Tabelle.

werden	Präsens		Präteritum		Konjunktiv II
ich	werde	ich	wurde	ich	würde
du		du		du	
er / sie / es		er / sie / es		er / sie / es	
wir		wir		wir	
ihr		ihr		ihr	
sie / Sie		sie / Sie		sie / Sie	

b Vergleichen Sie in 8a die Präteritum- und die Konjunktiv-II-Formen von „werden". Wie unterscheiden Sie sich?

Ⓖ

Der Konjunktiv II von „werden" hat einen _____ .

9 Eine Empfehlung geben: So kann man es auch sagen › KB: C2

a Welche Sätze drücken das Gleiche aus? Ordnen Sie zu.

1. Sie sollten ein Gründerseminar besuchen.
2. Könnten Sie mir einen Rat geben?
3. Sie sollten keinen hohen Kredit aufnehmen.
4. Welche Gesellschaftsform könnten Sie uns empfehlen?
5. Sie könnten eine GmbH gründen.

A. Ich würde eine GmbH gründen.
B. Welche Gesellschaftsform würden Sie uns empfehlen?
C. Wenn ich Sie wäre, würde ich ein Gründerseminar besuchen.
D. An Ihrer Stelle würde ich keinen hohen Kredit aufnehmen.
E. Wären Sie so nett und würden mir einen Rat geben?

1. _C_
2. ☐
3. ☐
4. ☐
5. ☐

b Markieren Sie in der rechten Spalte in 9a die Ausdrücke, die man für Empfehlungen verwenden kann. Überprüfen Sie dann Ihre Lösungen.

c Jemand braucht einen Kredit. Formulieren Sie die Empfehlungen neu. Verwenden Sie dafür die markierten Redemittel aus 9a.

1. Sie sollten sich bei der Bank einen Ansprechpartner suchen.

   Wenn ich Sie wäre, würde ich mir bei der Bank einen Ansprechpartner suchen.

2. Sie sollten einen Finanzplan machen.

   An Ihrer Stelle würde ich ...

3. Sie sollten Ihr Kapital zusammenrechnen.

   Ich würde mein ...

4. Sie könnten ein Gründerportal im Internet besuchen.

   _____

5. Sie sollten eine gute Konzeptpräsentation vorbereiten.

   _____

6. Sie könnten professionelle Beratung suchen.

   _____

d Formulieren Sie die Sätze mit „sollen" und „können" im Konjunktiv II um.

> Sie sollten ...

Wenn ich Sie wäre,
1. würde ich mir bei einer Bank einen Termin geben lassen.
2. würde ich beim Jobcenter und bei der IHK nachfragen.
3. würde ich mein Startkapital ausrechnen.
4. würde ich Mitgründer mit Geld suchen.
5. würde ich nicht das gesamte Kapital von der Bank leihen.

1. (sollen) _Sie sollten sich bei einer Bank einen Termin geben lassen._
2. (können) _Sie könnten ..._
3. (sollen) _____
4. (können) _____
5. (sollen) _____

Wortschatz und Schreiben

1 Namen, Adresse und Telefonnummer mitteilen › KB: A

a Namen und Adresse nennen. Notieren Sie die Bezeichnungen mit dem Artikel.

Adresse | E-Mail-Adresse | Internetadresse | Hausnummer | Nachname | Postleitzahl | Stadt |
Straße | Vorname

1. Lessingstraße 196, D-04109 Leipzig → *die Adresse*
2. Daubner → _____
3. Annette → _____
4. Franzisweg → _____
5. 67 → _____

6. 30159 → _____
7. Hannover → _____
8. v.hutter@xpu.de → _____
9. www.teld-tec.de → _____

b Ordnen Sie die Telefonnummern A bis F den Bezeichnungen 1 bis 6 zu.

1. die Festnetznummer
2. die Mobilfunknummer
3. die Ländervorwahl
4. die Ortsvorwahl
5. die Rufnummer
6. die Durchwahl

A. 0421
B. 67890
C. -583
D. +49 157 66380492
E. 0421 67890
F. 0049

1. _E_
2. __
3. __
4. __
5. __
6. __

c E-Mail-Adressen und Internetadressen diktieren. Wie heißt das markierte Zeichen? Notieren Sie.

at | Bindestrich / minus | Unterstrich / underscore | Punkt / dot | Schrägstrich / slash

1. a.lauer@xpu.de → *Punkt / dot*
2. b.bugner@bsf.fr → _____
3. frey@hatic-baden.ch → _____

4. www.ilg.at/news → _____
5. kolb@elig_com.de → _____

d Wie heißen die Redemittel? Ordnen Sie zu.

1. Meine E-Mail-Adresse
2. Die Ländervorwahl von
3. Ich wohne in der
4. Freiburg hat die
5. Rostock hat
6. Meine Rufnummer
7. Ich habe die

A. Bachstraße 27.
B. die Vorwahl …
C. Postleitzahl …
D. Italien ist …
E. ist …
F. lautet …
G. Durchwahl …

1. _F_
2. __
3. __
4. __
5. __
6. __
7. __

2 Könnten Sie mich bitte mit Herrn Haupt verbinden? › KB: B

a Wie heißen die Redemittel? Notieren Sie die fehlenden Verben in der passenden Form.

> ausrichten | bitten | erreichen | hinterlassen | melden | sein | sein | sprechen | tun |
> verbinden | weiterhelfen | zurückrufen

1. Was kann ich für Sie _tun_____?

2. Ich möchte mit Herrn Haupt _____.

3. Könnten Sie mich bitte mit dem Kundenservice _____?

4. Ich muss Frau Atos dringend _____.

5. Bei Herrn Dahlinger _____ besetzt.

6. Frau Gruber _____ nicht am Platz.

7. Kann ich Ihnen _____?

8. Kann ich etwas _____?

9. Könnten Sie Herrn Döring eine Nachricht _____?

10. Sagen Sie ihm bitte, dass er mich dringend _____ soll.

11. Ich möchte Frau Franke _____, sich bei mir zu melden.

12. Ich _____ mich später noch einmal.

b Wie kann man noch sagen? Formulieren Sie die markierten Redemittel um.

A. Hier Herr Böhm, könnten Sie mich bitte zu Herrn Noll vom Kundenservice durchstellen? (verbinden mit)

   Hier Herr Böhm, könnten Sie mich bitte mit Herrn Noll vom Kundenservice verbinden?

B. Ja, gern. Was soll ich ihr denn mitteilen? (ausrichten)

   _____

C. Tut mir leid, aber Herr Noll ist heute nicht im Büro. (außer Haus sein)

   _____

D. Hier Peka GmbH, Zentrale, Lisa Auer am Apparat. Wie kann ich Ihnen helfen? (tun für)

   _____

E. Könnten Sie Frau Weber bitte etwas ausrichten? (eine Nachricht hinterlassen)

   _____

F. Ist dann vielleicht Frau Weber im Haus? (ich sprechen können)

   _____

G. Einen Moment, bitte. Ich kann Frau Weber leider nicht erreichen. (nicht am Platz sein)

   _____

H. Richten Sie ihr bitte aus, dass sie sich dringend bei mir melden soll. Mein Name ist ... (zurückrufen)

   _____

c Ein Telefondialog. Bringen Sie die Sätze in 2b in die richtige Reihenfolge.

1. _D_   2. _A_   3. ⌴   4. ⌴   5. ⌴   6. ⌴   7. ⌴   8. ⌴

Kapitel 4

3 Ein Anruf – zwei Situationen › KB: B4

Schreiben Sie Dialoge zu Situation 1 und 2. Verwenden Sie dafür auch Redemittel aus 2a und b.

Sie sind Herr Polat vom Mirek Lieferservice. Sie bekommen einen Anruf von Frau Denzel.
Sie fragen, was Sie für Frau Denzel tun können. Frau Denzel möchte Ihren Chef, Herrn Mirek, sprechen.
Situation 1: Herr Mirek ist nicht da. Frau Denzel fragt, ob Sie etwas ausrichten können. Sie fragen, worum es geht.
Frau Denzel kann am Meeting nicht teilnehmen. Frau Denzel bedankt und verabschiedet sich. Sie reagieren.
Situation 2: Herr Mirek ist da. Aber er telefoniert gerade. Sie fragen, worum es geht und ob Sie etwas ausrichten
können. Frau Denzel bittet um Rückruf und um Herrn Mireks Durchwahlnummer. Sie reagieren.

▸ *Guten Tag, hier Mirek Lieferservice, Polat am Apparat. Was kann ich für Sie tun?*

▸ *Guten Tag, hier Frau Denzel, könnte ich bitte Herrn Mirek sprechen?*

Situation 1	Situation 2
▸ *Herr Mirek ist leider …*	▸ *Ja, einen Moment, ich verbinde Sie. Bei Herrn Mirek …*
▸ …	▸ …

4 Termine, Termine › KB: C1

Planen Sie Termine. Schreiben Sie Sätze.

1. ich – Ihnen – folgende – Termine – anbieten – können – : …
   Ich kann Ihnen folgende Termine anbieten: …

2. wir – noch – einen Termin – vereinbaren – müssen – .

3. leider – ich – unseren Termin – am 14.06. – absagen – müssen – .

4. wir – unseren Termin – von Montag – auf Dienstag – verschieben – können – ?

5. für unsere Besprechung – ich – Ihnen – folgende – Termine – vorschlagen – können – : …

6. unser Termin – am Montag – um 15:00 Uhr – leider – ausfallen – müssen – .

5 Nachfragen › KB: C3

Um Wiederholung bitten, Verständnis sichern – notieren Sie die fehlenden Wörter.

klar | mal | richtig | ~~sagen~~ | verstanden | wiederholen

1. Könnten Sie mir bitte noch einmal *sagen*_____, wo die Unterlagen liegen?
2. Die Besprechung ist in Raum 532, _____?
3. Das Meeting ist morgen um 14:00 Uhr. Habe ich das richtig _____?
4. Könnten Sie das bitte noch einmal _____?
5. Entschuldigung, mir ist nicht ganz _____, was genau ich tun soll.
6. Entschuldigung, wie war das noch _____?

6 Nachrichten auf dem Anrufbeantworter hinterlassen › KB: D2

Formulieren Sie Sätze. Verwenden Sie Ihre persönlichen Daten: Name, Telefonnummer, E-Mail-Adresse.

1. Tag – guten – ! – mein Name – sein – … – . – ich – buchstabieren – : …

   Guten Tag! Mein Name ist … Ich buchstabiere: …

2. ich – wegen – des Termins am 17.4. – sich melden – .

   _____

3. leider – wir – an dem Tag – eine Besprechung – mit dem Geschäftsführer – haben – .

   _____

4. wir – den Termin – verschieben – können (Konjunktiv II) – ?

   _____

5. ich – am 19.4. oder 20.4. – können (Konjunktiv II) – .

   _____

6. bitte – Sie – mich – unter meiner Mobilnummer – zurückrufen – : …

   _____

7. Sie – mir – auch– eine E-Mail – schicken – können – . – meine E-Mail-Adresse – sein – : …

   _____

8. Dank – vielen – und – auf Wiederhören – .

   _____

7 Meine Telefonkompetenz › KB: D3

a Welche Antwort passt auf welche Frage? Ordnen Sie zu.

1. Könnten Sie mich bitte zurückrufen?
2. Wie kann ich Sie erreichen?
3. Entschuldigung, wie war Ihr Name?
4. Wohin soll ich alles schicken?
5. Könnte ich mit Frau … sprechen?
6. Könnten Sie Frau … bitte etwas ausrichten?
7. Könnten Sie Frau … sagen, dass ich vom 1. – 6.7. krankgeschrieben bin?

A. Gern. Was soll ich ihr denn mitteilen?
B. Mein Name ist … Ich buchstabiere: …
C. Ja gern. Wie ist Ihre Telefonnummer?
D. Sie können mich erreichen unter …
E. Nein, leider nicht. Sie ist gerade außer Haus.
F. Moment, ich notiere. Von wann bis wann?
G. Senden Sie die Unterlagen bitte an die E-Mail-Adresse: …

1. _C_
2. ⌐
3. ⌐
4. ⌐
5. ⌐
6. ⌐
7. ⌐

b Welche Fragen bedeuten das Gleiche wie die Fragen 1 bis 7 in 6a?

1. Dürfte ich um Rückruf bitten? → _Könnten Sie mich bitte zurückrufen?_
2. Könnte ich eine Nachricht für Frau … hinterlassen? → _____
3. Könnten Sie Ihren Namen bitte noch einmal wiederholen? → _____
4. An wen kann ich die Sachen senden? → _____
5. Ist Frau … zu sprechen? → _____
6. Wie ist Ihre Telefonnummer? → _____
7. Wären Sie so nett und würden Frau … mitteilen, dass …? → _____

Grammatik

1 Die Modalverben › KB: B2

a **Was bedeuten die Modalverben? Ordnen Sie die Sätze den Bedeutungen zu. Zu Punkt 10 passen zwei Sätze.**

Frau Falk kann perfekt Englisch und Französisch sprechen. |
Frau Falk musste den Termin für das Vorstellungsgespräch absagen. |
Sagen Sie bitte Frau Haik, dass sie mich dringend zurückrufen soll. |
Frau Falk konnte den Termin mit Frau Haik verschieben. |
Frau Falk möchte, dass Herr Müller eine Nachricht hinterlässt. |
Frau Haik mag jetzt kein langes Telefongespräch führen. |
Wollen / Sollen wir direkt einen Termin vereinbaren? |
Frau Falk kann Französisch nicht gut schreiben. |
Frau Schulz soll im Bett bleiben und viel schlafen. |
Frau Haik, Sie sollen Frau Falk dringend zurückrufen. |
Frau Schulz will, dass Frau Falk das Vorstellungsgespräch absagt. |
Frau Falk kann Frau Haik nicht erreichen. |
Herr Müller mochte schon immer gern auf Dienstreisen fahren. |
Frau Schulz will nicht, dass man sie anruft. |
Frau Falk muss Frau Haik nicht noch einmal anrufen. |
Frau Haik möchte nicht, dass das Meeting am Montag stattfindet. |
Frau Falk darf erst im November Urlaub nehmen, weil im Oktober eine große Konferenz stattfindet. |
Frau Schulz darf bis Ende der Woche nicht zur Arbeit gehen, weil sie krankgeschrieben ist. |
Soll ich einen neuen Termin für das Meeting vereinbaren? |

Frau Falk kann perfekt …

1. a. Es ist möglich: _____

   b. Es ist nicht möglich: *Frau Falk kann Frau Haik nicht erreichen.*

2. a. Man ist fähig: *Frau Falk kann perfekt Englisch und Französisch sprechen.*

   b. Man ist nicht fähig: _____

3. a. Es ist nötig: _____

   b. Es ist nicht nötig: _____

4. a. Es ist erlaubt: _____

   b. Es ist nicht erlaubt: _____

5. a. Man wünscht etwas höflich: *Frau Falk möchte, dass Herr Müller eine Nachricht hinterlässt.*

   b. Man wünscht etwas nicht (höflich): _____

6. a. Man wünscht sehr direkt / plant etwas: _____

   b. Man wünscht / plant etwas nicht: _____

7. a. Man hat / tut etwas gern: _____

   b. Man hat / tut etwas nicht gern: *Frau Haik mag jetzt kein langes Telefongespräch führen.*

8. a. Man beauftragt jemanden: *Sagen Sie bitte Frau Haik, dass sie mich dringend zurückrufen soll.*

   b. Man gibt einen Auftrag weiter: _____

9. Man beschreibt eine Empfehlung / einen Rat: _____

10. Man macht einen Vorschlag: _____

   _____

b Schreiben Sie das Präsens, das Präteritum und den Konjunktiv II von „müssen", „dürfen", „wollen" und „mögen" in die Tabelle. › K3: G6

müssen	Präsens		Präteritum		Konjunktiv II
ich	muss	ich	musste	ich	müsste
du		du		du	
er / sie / es		er / sie / es		er / sie / es	
wir		wir		wir	
ihr		ihr		ihr	
sie / Sie		sie / Sie		sie / Sie	

dürfen	Präsens		Präteritum		Konjunktiv II
ich		ich		ich	
du		du		du	
er / sie / es	darf	er / sie / es	durfte	er / sie / es	dürfte
wir		wir		wir	
ihr		ihr		ihr	
sie / Sie		sie / Sie		sie / Sie	

wollen	Präsens		Präteritum		Konjunktiv II
ich		ich		ich	
du	willst	du	wolltest	du	wolltest
er / sie / es		er / sie / es		er / sie / es	
wir		wir		wir	
ihr		ihr		ihr	
sie / Sie		sie / Sie		sie / Sie	

mögen	Präsens		Präteritum		Konjunktiv II
ich	mag	ich	mochte	ich	möchte
du		du		du	
er / sie / es		er / sie / es		er / sie / es	
wir		wir		wir	
ihr		ihr		ihr	
sie / Sie		sie / Sie		sie / Sie	

c Vergleichen Sie bei allen Modalverben in 1b das Präteritum und den Konjunktiv II und kreuzen Sie in den Regeln an.

Ⓖ

1. Das Präteritum und der Konjunktiv II der Modalverben „müssen", „dürfen" und „mögen" sind
   a. ☐ gleich.   b. ☐ nicht gleich, im Konjunktiv II gibt es einen Umlaut.
2. Das Präteritum und der Konjunktiv II des Modalverbs „wollen" sind
   a. ☐ gleich.   b. ☐ nicht gleich.

2 Höfliche Bitten im Konjunktiv II mit Modalverben › KB: B2

Wie heißt es höflich? Formulieren Sie Bitten im Konjunktiv II.

1. Sie – mich – bitte – mit Frau Haik – verbinden – können – ?

   Könnten Sie mich bitte mit Frau Haik verbinden?

2. ich – Sie – bitten – dürfen – , – Frau Haik – eine Nachricht – zu hinterlassen – ?

   _____

3. ich – dringend – mit Frau Haik – sprechen – müssen – .

   _____

4. Frau Haik – mich – bitte – zurückrufen – mögen – .

   _____

5. ich – einen Termin – für nächste Woche – vereinbaren – können – ?

   _____

3 Höfliche Bitten im Konjunktiv II mit „haben", „sein" und „würde" › KB: B2

a „haben" und „sein" im Präteritum und Konjunktiv II. Notieren Sie die Formen und ergänzen Sie in der Regel.

haben	Prätertium	Konjunktiv II		sein	Prätertium	Konjunktiv II
ich	_hatte_	_hätte_		ich	_war_	_wäre_
du				du	_warst_	_wär(e)st_
er / sie / es				er / sie / es		
wir				wir		
ihr				ihr		
sie / Sie				sie / Sie		

Ⓖ

1. Konjunktiv II von „haben": Präteritum + Umlaut.
2. Konjunktiv II von „sein": Präteritum + Umlaut + „_____".

b Schreiben Sie die Sätze mit dem Konjunktiv II und formulieren Sie sie so höflicher.

1. Haben Sie am nächsten Dienstag Zeit?

   Hätten Sie am nächsten Dienstag Zeit?

2. Bist du so nett, für mich das Vorstellungsgespräch mit Herrn Vega zu vereinbaren?

   _____

3. Sind Sie so freundlich, Frau Haik etwas auszurichten?

   _____

4. Ich habe da noch eine Frage.

   _____

5. Ist es möglich, den Termin für unsere Besprechung auf den Nachmittag zu verschieben?

   _____

c   Formulieren Sie höfliche Sätze mit „würde".   › K3: G8

1. Ich *würde* _____ gern mit Frau Haik *sprechen* _____. (sprechen)

2. _____ Sie mich bitte mit Frau Haik _____? (verbinden)

3. _____ du bitte Herrn Vega für mich _____? (anrufen)

4. Wenn Sie einverstanden sind, _____ wir diese Aufgabe gern _____. (übernehmen)

5. _____ Sie bitte Frau Haik _____, dass sie mich dringend zurückrufen soll? (ausrichten)

6. Wenn es möglich ist, _____ ich unser Treffen gern um eine Woche _____. (verschieben)

4   Höflicher fragen mit indirekten Fragen   › KB: C2

a   Formulieren Sie indirekte Fragen. Achten Sie auf die Wortstellung und markieren Sie das Fragewort und Verb.

1. Ist Frau Haik im Haus? → Wissen Sie, *ob Frau Haik im Haus ist* _____?

2. Kann ich den Termin verschieben? → Ich möchte Sie fragen, _____.

3. Ist Frau Schulz noch krank? → Können Sie mir sagen, _____?

4. Findet die Sitzung morgen statt? → Wissen Sie bereits, _____?

5. Sollen wir schon mit der Projektplanung beginnen? → Sagen Sie uns bitte, _____.

b   Formulieren Sie aus den Redemitteln und den Satzteilen indirekte Fragen. Denken Sie auch an die Wortstellung.

> Ich würde gern wissen, … | Könnten Sie mir sagen, …? | Können Sie mir zeigen, …? | Wissen Sie, …? |
> Ich möchte Sie fragen, … |

1. wie lange – dauern – das Meeting

    Ich würde gern wissen, wie lange das Meeting dauert. _____

2. wann – Frau Bay – zurückkommen – von ihrer Dienstreise

    _____

3. wo – vom Vertriebsleiter – sein – das Büro

    _____

4. um wie viel Uhr – landen – unsere Geschäftspartner – in Frankfurt

    _____

5. welche Aufgaben – in unserem Projekt – übernehmen – sollen – die Praktikantin

    _____

c   Markieren Sie in den Antworten die Präposition, die jeweils zum Verb gehört, und stellen Sie Fragen mit „wo(r)-".
    Überprüfen Sie dann Ihre Lösungen.   › ÜB: C2   › K1: G6

1. ▶ *Worüber haben Sie auf der Sitzung diskutiert?* _____
    ▶ Auf der Sitzung haben wir über die engen Terminpläne diskutiert.

2. ▶ _____
    ▶ In der Besprechung ging es um das neue Projekt.

3. ▶ _____
    ▶ Ich bin mit der Organisation nicht zufrieden.

4. ▶ _____
    ▶ Frau Mahler ist für das Controlling zuständig.

TIPP
Präposition mit einem Vokal → Fragewort mit „r", z. B. über → worüber, um → worum

d Formulieren Sie die Fragen in 4c in indirekte Fragen um.

1. Können Sie mir sagen, _worüber Sie auf der Sitzung diskutiert haben_ _____ ?

2. Ich möchte Sie fragen, _____ .

3. Sagen Sie mir bitte, _____ .

4. Wissen Sie, _____ ?

e Markieren Sie in den Antworten die Präposition, die jeweils zum Verb gehört, und überlegen Sie, ob die Präposition mit Akkusativ (A) oder mit Dativ (D) steht. Stellen Sie dann indirekte Fragen nach den Personen. ▸ K1: G6

		Präp. + A	Präp. + D
1. ▶	Ich möchte gerne wissen, _an wen ich mich bei dem Problem wenden kann._		
▶	Bei dem Problem können Sie sich an unseren Techniker, Herrn Schreiner, wenden.	☒	☐
2. ▶	Können Sie mir sagen, _____ ?		
▶	Wegen des Termins können Sie sich mit Frau Brehmer in Verbindung setzen.	☐	☐
3. ▶	Ich möchte Sie fragen, _____ .		
▶	In dem Fall können Sie sich bei Herrn Wick vom Kundenservice beschweren.	☐	☐
4. ▶	Wissen Sie, _____ ?		
▶	Das Team hat sich für Frau Ilg als Teamsprecherin entschieden.	☐	☐

f Und nun alles zusammen: Formulieren Sie indirekte Fragen. Überprüfen Sie dann Ihre Lösungen.

1. Wissen Sie schon, _wann die Sitzung stattfindet_ _____ ? (die Sitzung stattfinden wann)

2. Ich möchte fragen, _ob wir das Treffen verschieben können_ _____ . (wir das Treffen verschieben können)

3. Können Sie mir sagen, _____ ? (ich nachfragen können bei wem)

4. Wissen Sie, _____ ? (wir auf der Tagung besprechen was)

5. Kannst du mir sagen, _____ ? (wir sprechen wollen worüber)

6. Weißt du, _____ ? (Herr Jonas wieder im Büro sein)

g Formulieren Sie mithilfe der Redemittel indirekte Antworten auf die Fragen in 4f.

Ich habe noch keine Informationen, … | Ich gebe Ihnen später Bescheid, … |
Leider weiß ich nicht, … | Leider kann ich Ihnen noch nicht sagen, … | Ich weiß auch noch nicht, … |
Frag am besten bei der Assistenz, …

1. _Ich habe noch keine Informationen, wann die Sitzung stattfindet._

2. _Ich gebe Ihnen später Bescheid, …_

3. _____

4. _____

5. _____

6. _____

5 Das lasse ich machen › ÜB: D2

a Formulieren Sie Sätze mit „lassen" und schreiben Sie sie in die Tabelle.

1. Frau Falk – Frau Haik – etwas – ausrichten – lassen
2. Frau Falk – sich – mit der IT-Abteilung – verbinden – lassen
3. Herr Müller – sich – den Namen – von Frau Falk – buchstabieren – lassen
4. Frau Schulz – das Vorstellungsgespräch – mit Herrn Vega – verschieben – lassen
5. Frau Falk – die Unterlagen – für das Meeting – kopieren – lassen

Satzklammer

Position 1	Position 2: „lassen"		Satzende: Vollverb
1. Frau Falk	lässt	Frau Haik etwas	ausrichten.
2.			
3.			
4.			
5.			

b Ergänzen Sie „lassen" in der passenden Form.

1. Ich _lasse_____ mir die nötigen Informationen von Frau Falk geben.

2. Herr Ott _____ sich alle Planungsschritte erklären.

3. Seit wann _____ du dir die Dienstreisen von Frau Huber organisieren?

4. Warum _____ Sie die alten Akten kopieren?

5. Immer _____ ihr uns alles machen!

6. Wir _____ uns den Besprechungsraum reservieren.

7. Frau Schulz und Frau Haik _____ ihre Assistenten das Meeting vorbereiten.

c Lesen Sie die Sätze in 5b noch einmal. Wer erledigt den Auftrag? Notieren Sie die Nummer vom Satz.

1. Der Satz nennt die Person, die den Auftrag ausführt: _1,_____

2. Der Satz nennt die Person nicht, die den Auftrag ausführt: _2,_____

d Frau Falk spricht mit einer Kollegin. Sie macht Vorschläge und erwartet Zustimmung: Formulieren Sie Sätze mit „lassen".

1. Ich kann das machen.

   _Lass mich das machen!_____

2. Wir können das Projekt übernehmen.

   _Lass uns ..._____

3. Frau Amos kann das Angebot schreiben.

   _____

4. Die Teammitglieder sollten zuerst über den Vorschlag diskutieren.

   _____

5. Ich möchte die Dienstreise nach Asien machen.

Wortschatz und Schreiben

1 Verben und ihre Nomen › KB: A, B

Welche Nomen gehören zu den Verben? Notieren Sie auch Artikel und Plural, wenn möglich, und achten Sie auf die Veränderungen. Benutzen Sie, wenn nötig, ein Wörterbuch.

Bau̶ | Auftrag | Druck | Gewinn | Plan | Vorschlag | Vortrag

Auftritt̶ | Beschluss | Gang | Stand | Versand | Vertrieb | Wunsch

1. bauen → *der Bau, die Bauten*
2. drucken → _____
3. planen → _____
4. vortragen → _____
5. gewinnen → _____
6. vorschlagen → _____
7. beauftragen → _____

8. auftreten → *der Auftritt, die Auftritte*
9. gehen → _____
10. stehen → _____
11. beschließen → _____
12. vertreiben → _____
13. wünschen → _____
14. versenden → _____

2 Nomen + Nomen = Nomen › KB: A, B

a **Bilden Sie zusammengesetzte Nomen mit „Messe". Notieren Sie auch Artikel und Plural. Zwei Wörter passen nicht. Überprüfen Sie dann Ihre Lösungen.**

Auftritt̶ | Doppelzimmer | Einladung | Empfänger | Geschenk | Kleidung | Planung | Stand | Team | Termin | Theke | Wand

1. *der Messeauftritt, die Messeauftritte*
2. _____
3. _____
4. _____
5. _____
6. _____
7. _____
8. _____
9. _____
10. _____

b **Ergänzen Sie die zusammengesetzten Nomen aus 2a in der passenden Form.**

Rischge GmbH

1. Die Firma Rischke plant den nächsten *Messeauftritt* _____.

2. Die _____ dauert diesmal sehr lange, weil es eine neue Konzeption gibt.

3. Für den _____ gibt es eine neue Ausstattung, z. B. eine große

   _____, hinter der drei Personen stehen können, eine _____,

   4,40 m x 2,50 m groß, und einen Stehtisch mit Stühlen.

4. Die _____ für die VIPs sind schon in der Druckerei. Außerdem bekommen die VIPs als

   _____ einen digitalen Stift.

5. Die Kollegen des _____ bekommen schicke neue _____

   in Schwarz und Rischke-Rot.

6. Der nächste _____ ist der 10. Dezember.

3 Nomen + Nomen + Nomen = Nomen › KB: B

TIPP

a Ergänzen Sie zuerst den Tipp. Bilden Sie dann zusammengesetzte Nomen. Achten Sie auch auf die Verbindungsbuchstaben „-n" und „-s".

Erinnern Sie sich: Artikel und Plural von zusammengesetzten Nomen sind die vom _____ Wort.

1. die Messe, -n   + der Bau, -ten   + die Firma, Firmen   = *die Messebaufirma, –firmen*

2. die Messe, -n   + der Kontakt, -e   + der Bogen, ⸚   = *der Messekontaktbogen, ⸚*

3. der Stand, ⸚e   + der Dienst, -e   + die Einteilung, -en = _____

4. die Messe, -n   + die Ausstellung, -en + das Stück, -e   = _____

5. der Stand, ⸚e   + das Personal (nur Sg.) + der Abend, -e   = _____

6. die Besprechung, -en + der Raum, ⸚e   + die Reservierung, -en = _____

7. der Eintritt, -e   + die Karte, -n   + der Gutschein, -e   = _____

8. die Messe, -n   + der Stand, ⸚e   + der Aufbau, -ten   = _____

9. das Hotel, -s   + das Zimmer, -   + die Kategorie, -n   = _____

b Erklären Sie die Wörter in 3a.

1. *die Messebaufirma*   = *die Firma, die auf der Messe etwas (auf)baut*

2. *der Messekontaktbogen*   = *der Bogen für ...*

3. _____ = _____

4. _____ = _____

5. _____ = _____

6. _____ = _____

7. _____ = _____

8. _____ = _____

9. _____ = _____

4 Checkliste – Was muss Frau Maas tun? › KB: B

Schreiben Sie zu jedem Punkt einen Satz wie im Beispiel.

1. Anmeldung – Messestand   → *Frau Maas muss den Messestand anmelden.*

2. Antrag – Katalogeintrag   → *Sie muss den Katalogeintrag beantragen.*

3. Überweisung – Einschreibegebühr   → *Sie muss ...*

4. Planung – Standkonzeption   → _____

5. Bestellung – Vitrinentheken   → _____

6. Auswahl – Ausstellungsstücke   → _____

7. Einteilung – Personal   → _____

8. Versand – Eintrittskartengutscheine → _____

9. Auftrag – Messebaufirma   → _____

5 Verben und Nomen: „zurück-" und „Rück-" › KB: C

a Wie heißen die Nomen zu den Verben? Notieren Sie auch Artikel und Plural.

1. zurücktransportieren → *der Rücktransport, -e*   3. zurücksenden → _____

2. zurückfahren → _____   4. zurückrufen → _____

b Schauen Sie sich die Verben und Nomen in 5a noch einmal an und ergänzen Sie die Regel.

Aus Verben mit der Vorsilbe „zurück-" bildet man Nomen mit „_____".

Ⓖ

6 Nomen und Verben › KB: C

a Wie heißen die Verben zu den Nomen?

1. die Präsentation, -en → *präsentieren*   5. die Orientierung, -en → *sich ...*

2. die Konzeption, -en → _____   6. die Visualisierung, -en → _____

3. die Inszenierung, -en → _____   7. die Funktion, -en → _____

4. das Interesse, -n → _____   8. die Notiz, -en → _____

b Feste Verbindungen: Nomen + Verb. Ordnen Sie den Verben passende Nomen zu.

Aufmerksamkeit | Aufmerksamkeit | Bescheid | Interesse | Interesse | im Mittelpunkt | in seinem Element | Eindruck

1. wecken: *Aufmerksamkeit, Interesse*   4. sein: _____

2. erregen: _____   5. stehen: _____

3. machen: _____   6. geben: _____

c Ergänzen Sie die Werbetexte mit Verben bzw. Nomen aus 6a und 6b.

A. **TATwort:** Sie wollen auf einem Event Ihr Unternehmen oder ein neues Produkt [1] *präsentieren* ?

Wir [2] _____, texten und [3] _____ Geschichten, in denen Ihr Produkt oder Ihr Unternehmen im Mittelpunkt [4] _____. TATwort [5] _____ sich immer ganz an Ihren Wünschen!

B. **Der Pantomime:** Sie wollen, dass sich das Publikum für Ihr Unternehmen [6] _____?

Dann ist der Pantomime Alexander Simon genau der Richtige. Auf der Messe ist er ganz

[7] *in* _____. Er weckt das [8] _____ des Publikums und erregt die

[9] _____ von möglichen Kunden.

C. **Der Jongleur:** Freuen Sie sich auf ein besonderes Event! Christoph Rummel stellt Ihr Produkt auf

originelle Weise vor und [10] _____ seinen Vortrag mit passenden Jongliertricks.

D. **www.moderatoren.events:** Unsere kompetenten Moderatorinnen und Moderatoren

unterstützen Ihren Messeauftritt. Sie moderieren Ihre [11] _____ und lassen sie zu

einem Erfolg werden. So macht Ihr Unternehmen den allerbesten [12] _____! Sie wollen

uns buchen? Das ist ganz einfach: Geben Sie uns einfach per Mail oder telefonisch [13] _____!

7 Diskutieren › KB: C

a Welcher Ausdruck ist gemeint? Ordnen Sie zu.

1. etwas dagegen sagen	A. einen Vorschlag machen	1 _B_
2. seine Meinung sagen und erklären	B. widersprechen	2. ⌐⌐
3. die gleiche Meinung haben und es sagen	C. seinen Standpunkt darlegen	3. ⌐⌐
4. eine Idee äußern	D. zustimmen	4. ⌐⌐
5. eine andere Meinung haben / äußern	E. eine Entscheidung treffen	5. ⌐⌐
6. sich entscheiden	F. einen Einwand haben / äußern	6. ⌐⌐

b Diskutieren: Schreiben Sie Sätze, die Sie in Diskussionen verwenden können.

1. ich – der Ansicht – sein – , – dass – wir – länger – darüber – diskutieren – müssen – .

   Ich bin der Ansicht, dass wir länger darüber diskutieren müssen.

2. damit – wir – weiterkommen – , – ich – folgenden Vorschlag – machen – möchte – .

   _____

3. ich – dazu – eine Idee – äußern – dürfen – ?

   _____

4. entschuldigen Sie – , – hier – ich – einen Einwand – haben – .

   _____

5. ich – vorschlagen – , – dass – wir – jetzt – eine Entscheidung – treffen – .

   _____

8 „Lange Wörter" in Grafiken verstehen › KB: D

a Aus welchen Teilen bestehen die zusammengesetzten Wörter 1 bis 8 in den Zielen der Messebeteiligung? Notieren Sie sie.

1. _Messe | Beteiligung_
2. _Stamm | Kunden | Pflege_
3. _neu | ..._
4. _____
5. _____
6. _____
7. _____
8. _____

> **(1) Ziele der Messebeteiligung:**
> (2) Stammkundenpflege: 85 %
> (3) Neukundengewinnung: 84 %
> (4) Imageverbesserung: 80 %
> (5) Verkaufsabschlüsse: 60 %
> (6) Vertragsabschlüsse: 60 %
> (7) Neue Kooperationspartner: 59 %
> (8) Marktforschung: 44 %

b Erklären Sie die Wörter in 8a. Beginnen Sie immer mit dem letzten Wort.

1. _Beteiligung an der Messe_
2. _Pflege der Stammkunden (= Kunden, die oft / lange dort kaufen)_
3. _____
4. _____
5. _____
6. _____
7. _____
8. _____

Grammatik

1 Das Passiv Präsens: Bildung › KB: A4

a Konjugieren Sie „anrufen" im Passiv Präsens. Überprüfen Sie dann Ihre Lösungen.

Passiv Präsens

ich	*werde angerufen*		wir	
du	*wirst ...*		ihr	
er / sie / es			sie / Sie	

b Schauen Sie sich die Passivformen in 1a noch einmal an und ergänzen Sie die Regel.

(G)

Das Passiv Präsens bildet man mit dem Präsens von „werden"
a. ☐ + Infinitiv.   b. ☐ + Partizip Perfekt (Partizip II).

c Konjugieren Sie die Verben im Passiv Präsens.

1. Sie – informieren → *Sie werden informiert*
2. ihr – beauftragen → _____
3. ich – abholen → _____
4. wir – fragen → _____

5. du – vergessen → _____
6. er – anschließen → _____
7. es – lesen → _____
8. sie (Pl.) – abladen → _____

2 Aktiv und Passiv – Präsens › KB: A4

a Aktiv Präsens: Lesen Sie Sätze und markieren Sie das Subjekt blau und die Akkusativergänzung rot.

TIPP

Position 1	Position 2: konjugiertes Verb		Satzende: 2. Verbteil
1. Die Mitarbeiter	bereiten	seit Monaten den Messeauftritt	vor.
2. Sie	bauen	heute den Messestand	auf.
3. Ein Mitarbeiter	präsentiert	den Stift mit einem Film.	

Wer oder was? → Subjekt
Wen oder was? → Akkusativergänzung
Wer baut auf? → Die Mitarbeiter.
Was bauen die Mitarbeiter auf? → Den Messestand.

b Passiv Präsens: Vergleichen Sie die Sätze mit den Sätzen 1 und 2 in 2a. Kreuzen Sie dann in den Regeln an.

Position 1	Position 2: Form von „werden"		Satzende: Partizip II
1. Der Messeauftritt	wird	seit Monaten von den Mitarbeitern	vorbereitet.
2. Der Messestand	wird	heute (von ihnen)	aufgebaut.
3.			

(G)

1. Die Akkusativergänzung im Aktiv   a. ☐ wird im Passiv zum Subjekt.   b. ☐ bleibt im Passiv gleich.
2. Das Subjekt im Aktiv   a. ☐ kann im Passiv zu einer Ergänzung mit „von" + Dativ werden.
    b. ☐ bleibt im Passiv gleich.

c Schreiben Sie Satz 3 aus 2a in die Tabelle in 2b und markieren Sie das Subjekt und die Ergänzung wie in den Beispielen.

d Ergänzen Sie die Grafik.

Aktiv: Ein Mitarbeiter   präsentiert   den Stift mit einem Film.

Passiv: wird   (   ) mit einem Film präsentiert.

e Markieren Sie in den Aktivsätzen das Subjekt blau und die Akkusativergänzung rot.
Bilden Sie dann Passivsätze.

1. Herr Föhr stellt den Rischge Digital Pen vor.

   Der Rischge Digital Pen wird von Herrn Föhr vorgestellt.

2. Die Benutzer tippen handschriftliche Notizen nicht mehr ab.

   _____

3. Die Benutzer schließen den digitalen Stift per USB an den Computer an.

   _____

4. Eine ganz neue Software überträgt die Notizen.

   _____

5. Sie erkennt jede Handschrift.

   _____

6. Mitarbeiter des Kundendienstes benutzen den Stift besonders gern.

   _____

f Markieren Sie in den Passivsätzen in 2e die Person, die etwas tut, blau wie im Beispiel oben. Überprüfen Sie
dann Ihre Lösungen.

g Überlegen Sie, in welchen Passivsätzen in 2e die Person, die etwas tut, wichtig ist
und in welchen Sätzen die Handlung wichtig ist. Wenn die handelnde Person nicht
wichtig ist, streichen Sie sie.

1. _Der Rischge Digital Pen wird von Herrn Föhr vorgestellt._

2. _Die handschriftlichen Notizen werden nicht mehr ~~von den Benutzern~~ abgetippt._

TIPP

Wenn die Person / die Sache
(z. B. Software), die etwas tut,
nicht wichtig ist, lässt man sie
in Passivsätzen sehr oft weg.

3 Dativergänzung in Aktiv und Passiv › KB: A4

a Markieren Sie in den Sätzen 1 und 2 die Dativergänzung gelb und vergleichen Sie den Aktiv- mit dem Passivsatz.
Kreuzen Sie dann in der Regel an.

1. Wir schicken unserem Kunden, Herrn Berg, noch heute das Angebot.
2. Das Angebot wird unserem Kunden, Herrn Berg, noch heute geschickt.

In Passivsätzen bleibt die Dativergänzung   a. ☐ gleich   b. ☐ nicht gleich   wie in Aktivsätzen. **G**

b Markieren Sie in den Sätzen die Dativergänzung gelb bzw. die Akkusativergänzung rot. Lesen Sie dann den Tipp und formulieren Sie die Sätze ins Passiv um.

TIPP

Die Dativergänzung steht in Passivsätzen oft am Satzanfang

1. Wir unterstützen den Kollegen. → *Der Kollege wird von uns unterstützt.*
2. Wir helfen dem Kollegen oft. → *Dem Kollegen wird oft (von uns) geholfen.*
3. Unser Unternehmen behandelt den Kunden sehr gut. → _____
4. Unser Unternehmen gibt dem Kunden einen Sonderrabatt. → _____
5. Wir informieren ihn über Neuigkeiten. → _____
6. Wir antworten ihm sofort auf seine Anfragen. → _____
7. Wir schicken dem Geschäftsführer oft Werbegeschenke. → _____
8. Wir laden ihn zu allen VIP-Abenden ein. → _____

4 Das Passiv Präteritum und das Passiv Perfekt › KB: B2

TIPP

Passiv Perfekt mit „werden" → geworden

a Konjugieren Sie die Verben in Klammern im Passiv Präteritum und Passiv Perfekt.

		Passiv Präteritum	Passiv Perfekt
ich	(anrufen)	*wurde angerufen*	*bin angerufen worden*
du	(begrüßen)		
er / sie / es	(fragen)		
wir	(informieren)	*wurden informiert*	*sind informiert worden*
ihr	(abholen)		
sie / Sie	(beauftragen)		

b Schreiben Sie Sätze im Passiv Präteritum und Passiv Perfekt.

1. (anmelden – Präteritum): Der Stand *wurde angemeldet.*
2. (überweisen – Perfekt): Die Gebühr *ist überwiesen worden.*
3. (zum Standdienst einteilen – Präteritum): Wir _____
4. (zum VIP-Abend einladen – Perfekt): Ich _____
5. (mit der Präsentation beauftragen – Präteritum): Du _____
6. (verpacken – Perfekt): Die Möbel _____
7. (mitnehmen – Präteritum): Die Laptops _____
8. (drucken – Perfekt): Die Prospekte _____
9. (vergessen – Perfekt): Das Logo _____
10. (genau planen – Präteritum): Alle Einzelheiten _____
11. (leider nicht korrigieren – Perfekt): Der Flyer _____
12. (perfekt erledigen – Präteritum): Alles andere _____

5 Aktiv und Passiv – Präteritum › KB: B2

› KB: B2

a Aktiv Präteritum: Probleme mit der Bestellung – so war der Ablauf. Bilden Sie Sätze
im Aktiv Präteritum und schreiben Sie sie in die Tabelle.

1. am 15. Juli – wir – die Vitrinentheke – bei der Firma Löw – bestellen
2. die Firma Löw – den Auftrag – noch am selben Tag – bestätigen
3. am 28. Juli – sie – eine defekte Theke – anliefern
4. der zuständige Mitarbeiter – den Schaden – umgehend – reklamieren
5. bis heute – die Firma Löw – nicht – auf unsere Reklamation – reagieren

Position 1	Position 2: konjugiertes Verb		Satzende: 2. Verbteil
1. Am 15. Juli	bestellten	wir die Vitrinentheke bei der Firma Löw.	
2. Die Firma Löw	...		
3.			
4.			
5.			

b Passiv Präteritum: Formulieren Sie die Sätze aus 5a im Passiv Präteritum und schreiben Sie sie in die Tabelle.
Streichen Sie dann die Person, die etwas tut, wenn sie nicht wichtig ist.

Position 1	Position 2: „wurde"		Satzende: Partizip II
1. Am 15. Juli	wurde	~~von uns~~ die Vitrinentheke bei der Firma Löw	bestellt.
2. Der Auftrag	...		
3.			
4.			
5.			

c Bericht über Probleme bei der Hotelreservierung. Lesen Sie die Aktivsätze. Formulieren Sie sie in Passivsätze um.

1. Anfang Januar schrieben wir das Hotel an.

   Anfang Januar wurde das Hotel angeschrieben.

2. Man bestätigte telefonisch die Reservierung von neun Einzelzimmern.

   Die Reservierung von neun Einzelzimmern ...

3. Aber der Rezeptionist des Hotels buchte sieben Einzelzimmer und ein Doppelzimmer.

   Aber vom ...

4. Eine Woche später reklamierten wir die falsche Buchung.

5. Danach reservierte das Hotel ein zweites Doppelzimmer.

6. Wir lehnten die Zahlung des Mehrpreises für zwei Doppelzimmer ab.

7. Und unser Geschäftsführer beauftragte unsere Rechtsabteilung mit der Lösung des Problems.

6 Aktiv und Passiv – Perfekt › KB: B2

a **Aktiv Perfekt: Wir haben schon viel erledigt. Bilden Sie Sätze im Aktiv Perfekt und schreiben Sie sie in die Tabelle.**

1. wir – die Standkonzeption – schon länger – besprechen
2. die Standgröße – wir – auch schon – festlegen
3. den Stand – wir – vor zwei Tagen – anmelden
4. die Standausstattung – wir – bei der Firma Günter – bestellen
5. wir – bei verschiedenen Messeaufbaufirmen – Angebote – einholen
6. wir – schon – vieles – erledigen

Position 1	Position 2: konjugiertes Verb		Satzende: Partizip II
1. *Wir*	*haben*	*die Standkonzeption schon länger*	*besprochen.*
2. *Die Standgröße*	*haben*	*wir auch schon*	*festgelegt.*
3.			
4.			
5.			
6.			

b **Passiv Perfekt: Formulieren Sie die Sätze aus 6a im Passiv Perfekt und schreiben Sie sie in die Tabelle.**

Position 1	Position 2: konjugiertes Verb		Satzende: Partizip II + „worden"
1. *Die Standkonzeption*	*ist*	*schon länger*	*besprochen worden.*
2. *Die Standgröße*	*...*	*...*	*...*
3.			
4.			
5.			
6.			

c **Aktiv oder Passiv? Lesen Sie das Gespräch von Frau Scholz (S) und Herrn Brühler (B) und überlegen Sie, ob Sie die Verben im Aktiv (A) oder im Passiv (P) stehen müssen. Kreuzen Sie an: A oder P und ergänzen Sie die Verben.**

		A	P
1.	B: Welche Punkte *sind* denn schon *erledigt worden*? (erledigen)	☐	☒
2.	S: Wir *haben* den Katalogeintrag schon *beantragt*. (beantragen)	☒	☐
3.	B: Und die Einschreibegebühr? _____ die schon _____? (überweisen)	☐	☐
4.	S: Ja, das _____ wir auch schon _____. (machen)	☐	☐
5.	S: Wir _____ auch schon Strom und WLAN _____. (bestellen)	☐	☐
6.	B: Ich weiß. Aber _____ die auch schon _____? (installieren)	☐	☐
7.	S: Noch nicht, aber wir _____ die Messefirma schon _____. (anrufen)	☐	☐

7 Was muss noch gemacht werden? – Passiv mit Modalverben › KB: C2 › ÜB: C1

a Schreiben Sie die Modalverben im Präsens und im Präteritum in die Tabelle.

Präsens:	ich *kann*	du	er / sie / es	wir *können*	ihr	sie / Sie
	ich *muss*	du	er / sie / es	wir *müssen*	ihr	sie / Sie
	ich *darf*	du	er / sie / es	wir *dürfen*	ihr	sie / Sie
	ich *soll*	du	er / sie / es	wir *sollen*	ihr	sie / Sie
Präteritum:	ich *konnte*	du	er / sie / es	wir	ihr	sie / Sie
	ich *musste*	du	er / sie / es	wir	ihr	sie / Sie
	ich *durfte*	du	er / sie / es	wir	ihr	sie / Sie
	ich *sollte*	du	er / sie / es	wir	ihr	sie / Sie

b Passiv Präsens: Markieren Sie die Passivformen in den Sätzen und schreiben Sie die Sätze in die Tabelle.

1. Einige Aufgaben müssen noch erledigt werden.
2. Vom Flyer sollen 2.000 Exemplare gedruckt werden.
3. Die Einladungen für den VIP-Abend können noch nicht verschickt werden.
4. Zum VIP-Abend dürfen nur 100 Gäste eingeladen werden.

Präsens	Position 2: Modalverb		Satzende: Partizip II + „werden"
1. *Einige Aufgaben*	*müssen*	*noch*	*erledigt werden.*
2.			
3.			
4.			

c Passiv Präteritum: Formulieren Sie die Sätze aus 7b im Präteritum und schreiben Sie sie in die Tabelle.

Präteritum	Position 2: Modalverb		Satzende: Partizip II + „werden"
1. *Einige Aufgaben*	*mussten*	*noch*	*erledigt werden.*
2.			
3.			
4.			

d Was muss, kann, soll noch gemacht werden? Schreiben Sie Sätze im Präsens. Überprüfen Sie dann Ihre Lösungen.

1. der Standdienst – regeln müssen: *Der Standdienst muss noch geregelt werden.*

2. zwei Parkausweise – bestellen sollen: _____

3. die Messekleidung – kurzfristig – liefern können: _____

4. die Liste – bis 15:00 Uhr – überprüfen müssen: _____

e Schreiben Sie die Sätze aus 7d im Präteritum in Ihr Heft.

1. *Der Standdienst musste noch geregelt werden.* _____

Wortschatz und Schreiben

1 Wortbildung – Nomen aus Verben › KB: A

Bilden Sie aus den Verben Nomen mit „-er" / „-erin" oder „-(at)eur" / „-(at)eurin". Notieren Sie auch Artikel und Plural.

1. montieren → *der Monteur, -e / die Monteurin, -nen*
2. malen → *der Maler, - / die Malerin, -nen*
3. installieren → _____
4. bauen → _____
5. gründen → _____

6. unternehmen → _____
7. jonglieren → _____
8. verbrauchen → _____
9. herstellen → _____
10. trainieren → _____

2 Wortbildung – Nomen aus Nomen + Nomen, Nomen + Verb, Nomen + Adjektiv / Vorsilbe › KB: A

a **Bilden Sie zusammengesetzte Nomen, notieren Sie auch Artikel und Plural.**

Nomen + Nomen	Nomen + Verb / Verb + Nomen	Adjektiv / Vorsilbe + Nomen
1. Heizung(s) + Monteur: *der Heizungsmonteur, -e*	7. Fliesen + legen: _____	13. trocken + Bauer: _____
2. Maler + Betrieb: _____	8. waschen + Becken: _____	14. groß + Unternehmer: _____
3. Gründer + Forum: _____	9. baden + Wanne: _____	15. klein + Transporter: _____
4. Spielwaren + Hersteller: _____	10. Franchise + geben: _____	16. sanitär + Installateur: _____
5. Fitness + Trainer: _____	11. brauen + Meister: _____	17. roh + Montage: _____
6. Bad + Einrichtung: _____	12. liefern + Schein: _____	18. elektro + Installation: _____

b **Notieren Sie die Artikel der zusammengesetzten Nomen und ihre Teile. Erklären Sie dann die Bedeutung.**

1. *das* Badzubehör → *das Bad + das Zubehör = das Zubehör für das Bad*
2. *die* Badsanierung → *das Bad + die Sanierung = die Sanierung des Bades*
3. _____ Badeinrichtung → _____
4. _____ Wandverkleidung → _____
5. _____ Wasserleitung → _____
6. _____ Handwerksleistung → _____

3 Typische zusammengesetzte Wörter in Angeboten › KB: B

a Bilden Sie Nomen. Notieren Sie auch Artikel und Plural. Überprüfen Sie dann Ihre Lösungen.

Bedingung | Bestellung | Bereitstellung | Datum | Erteilung | ~~Nummer~~ | Summe | ~~einzel~~ | gesamt | fertig

1. _die_ Kunden_nummer, -n_ _____
2. _____ Personal_____
3. _____ Material_____
4. _____ Zahlungs_____
5. _____ Rechnungs_____

6. _____ Auftrags_____
7. _____ Auftrags_____
8. _der_ _Einzel_ preis, _-e_
9. _____ preis, _____
10. _____ stellung, _____

b Ordnen Sie die Wörter aus 3a den Erklärungen zu.

1. Die Summe, die der Kunde für alles bezahlen muss: _die Auftragssumme_
2. Der Kunde gibt dem Handwerker einen Auftrag: _____
3. Der Handwerker muss Fliesen, Farben etc. bestellen: _____
4. Es muss Personal da sein, das den Auftrag erledigt: _____
5. Der Tag, an dem der Handwerker die Rechnung geschrieben hat: _____
6. Wenn man bei einem Handwerker Kunde ist, bekommt man meist eine: _____
7. Der Preis für ein Stück einer Ware: _____
8. Der Preis für alles zusammen: _____
9. Es gibt Regeln, wie man eine Rechnung bezahlt: _____
10. Die Arbeit ist beendet: _____

4 Ein Angebot schreiben › KB: B

Ergänzen Sie den Auszug aus einem Angebot mit Wörtern aus dem Schüttelkasten und mit zwei Wörtern aus Übung 3.

Abschluss | Angebot | ~~bedanken uns~~ | erhalten | fachgerechtes | gültig | sichern ... zu | zusagt

→ ✉ h.herz@xpu.de   _ ☐ ✕

Sehr geehrte Frau Herz,

wir [1] _bedanken uns_ für Ihre Anfrage und machen Ihnen folgendes [2] _____ : ...

Wir [3a] _____ handwerklich termin- und [4] _____ Arbeiten [3b] _____ .

Dieses Angebot ist 4 Wochen [5] _____ .

Zahlungsbedingungen:
50 % der Auftragssumme nach [6] _____ zur Materialbestellung und Personalbereitstellung.

30 % der Auftragssumme nach [7] _____ der Rohmontage.

20 % der Auftragssumme nach [8] _____ .

Wir hoffen, dass Ihnen unser Angebot [9] _____ , und würden uns freuen, Ihren Auftrag zu [10] _____ .

Mit freundlichen Grüßen
Thomas Unger

Kapitel 6

5 Rechnungen › KB: C

a Bilden Sie zusammengesetzte Wörter mit „Rechnung". Notieren Sie auch den Artikel.

[~~Datum~~ | Erhalt | Handwerker | Nummer | Schluss

1. _das_ _Rechnungsdatum_ ___   4. _____

2. _____   5. _____

3. _____

Rechnung (Schlussrechnung shown in the invoice image at top right)

b Welche Verben passen zu „Rechnung"? Kreuzen Sie an. Zwei passen nicht.

Eine Rechnung

a. [X] stellen   c. ☐ berichten   e. ☐ bezieht sich auf   g. ☐ ist zahlbar
b. ☐ richtet sich nach d. ☐ bezahlen   f. ☐ erstellen   h. ☐ vorstellen

c Überprüfen Sie Ihre Lösungen in 5b. Bilden Sie dann Sätze mit Verben aus 5b.

1. Herr Unger _stellt_ _____ eine Rechnung.

2. Die Rechnung _____ der VOB neuester Stand.

3. Seine Mitarbeiterin, Frau Heinen, _____ die Rechnung und schickt sie ab.

4. Die Rechnung _____ auf Handwerksleistungen.

5. Sie _____ bis zum 31.8.2017.

6. Frau Herz _____ sie bargeldlos, d.h., sie überweist den Betrag.

6 Konto, Überweisung, Lastschrift › KB: C › ÜB: C2

a Konto und Überweisung: Bilden Sie zusammengesetzte Nomen. Denken Sie an den Verbindungsbuchstaben „-s".
Notieren Sie auch Artikel und Plural.

[~~Auftraggeber~~ | Ausführung | Inland | Konto | [Feld | Inhaber | Institut | ~~Konto~~ | Termin |
  Kredit | Pflicht | Verwendung   Überweisung | Zweck

1. _der Auftraggeber, –_ + _das Konto, Konten_ = _das Auftraggeberkonto, -konten_

2. _____ + _____ = _____

3. _____ + _____ = _____

4. _____ + _____ = _____

5. _____ + _____ = _____

6. _____ + _____ = _____

7. _____ + _____ = _____

b Lastschrift: Bilden Sie zusammengesetzte Nomen.

1. _die_ Last, _-en_ + _die_ Schrift, _-en_ = _die Lastschrift, Lastschriften_

2. ____ Zahlung, ____ + ____ Verkehr (kein Pl.) = _____

3. ____ Lastschrift, ____ + ____ Mandat, ____ = _____

4. ____ Zahlung, ____ + ____ Empfänger, ____ = _____

5. ____ Bank, ____ + ____ Konto, ____ = _____

c Wie heißen die Verben zu den Nomen?

1. die Rechnung → *rechnen*
2. der Auftrag → *beauftragen*
3. der Erhalt → _____
4. die Überweisung → _____
5. die Verwendung → _____
6. der Empfänger → _____

d Welches Verb passt: a oder b? Kreuzen Sie an.

1. ein Lastschriftmandat   a. ☐ teilen   b. ☒ erteilen
2. einen Betrag   a. ☐ überweisen   b. ☐ beweisen
3. die Erlaubnis   a. ☐ geben   b. ☐ abgeben
4. einen Betrag vom Konto   a. ☐ ziehen   b. ☐ einziehen
5. die Lastschrift   a. ☐ lösen   b. ☐ einlösen
6. einen Betrag auf ein Konto a. ☐ schicken   b. ☐ überweisen

7 Gewährleistung und Garantie › KB: D

a Welche Präposition ist richtig: a oder b? Kreuzen Sie an. Überprüfen Sie dann Ihre Lösungen.

1. sich beziehen   a. ☒ auf   b. ☐ von   3. gelten   a. ☐ auf   b. ☐ für
2. haften   a. ☐ für   b. ☐ über   4. verlangen   a. ☐ für   b. ☐ in

b Bilden Sie die Sätze mit den Verben und den passenden Präpositionen aus 7a.

1. die Gewährleistung – den Mangel eines Produkts – sich beziehen – und – gesetzlich geregelt – sein

   Die Gewährleistung bezieht sich auf den Mangel eines Produkts und ist gesetzlich geregelt.

2. der Händler – nur – einen Mangel – haften – , – der – schon – zum Zeitpunkt des Kaufs – bestehen

   _____

3. die Garantie – eine freiwillige Leistung – sein – : – der Hersteller – festlegen – , – welche Ware – sie – gelten

   _____

4. der Händler – eine Garantieverlängerung – einen Betrag – verlangen – können

   _____

8 Dafür gibt es Gewährleistung › KB: D

Die Firma Unger hat Ihr Bad saniert. Nach zwei Tagen merken Sie, dass eine Armatur defekt ist. Schreiben Sie eine E-Mail an Herrn Unger. Verwenden Sie die Inhaltspunkte und vergessen Sie nicht Anrede und Grußformel.

leider Mangel festgestellt | Armatur der Badewanne defekt |
Regelung für das warme Wasser funktioniert nicht | es kommt nur sehr heißes Wasser |
Techniker möglichst schnell schicken | dafür bitte Termin vereinbaren |
warten auf Anruf | aber abgesehen davon sehr zufrieden mit neuem Bad

---

→ ✉ info@unger.xpu   ▬ ☐ ✕

Sehr geehrter Herr Unger,

leider habe ich einen Mangel festgestellt: Die …

Grammatik

1 Vergangenheitszeiten: Perfekt › KB: A3 › B: G7, 11

a Bildung: Markieren Sie die Perfektformen in den Sätzen und kreuzen Sie in der Regel an.

1. Verben ohne Vorsilbe: Ich habe eine Stunde gewartet. Die Arbeiter sind zu spät gekommen.
2. Verben mit trennbarer Vorsilbe: Ich habe lange nachgedacht. Die Arbeiten sind gut abgelaufen.
3. Verben mit untrennbarer Vorsilbe: Wir haben alles besprochen. Dann sind wir verreist.

Das Perfekt bildet man mit „haben" oder „sein" +   a. ☐ Partizip II.   b. ☐ Infinitiv.   Ⓖ

b Satzbau: Formulieren Sie Sätze im Perfekt und schreiben Sie sie in die Tabelle.

1. Herr Unger – zu Frau Herz – nach Hause – kommen
2. Frau Herz – darüber – sich freuen
3. sie – alles – mit ihm – besprechen
4. nach dem Gespräch – Herr Unger – ins Büro – zurückfahren
5. Frau Herz – später – anders – sich entscheiden
6. sie – im Büro – von Herrn Unger – anrufen
7. im Gespräch – sie – neues Badzubehör – auswählen

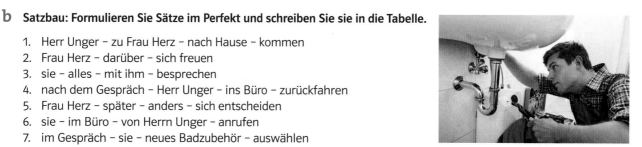

Position 1	Position 2		Satzende
1. Herr Unger	ist	zu Frau Herz nach Hause	gekommen.
2. Frau Herz	hat	sich darüber	gefreut.
3.			
4.			
5.			
6.			
7.			

c Gebrauch: Ergänzen Sie in dem Gespräch zwischen Frau Herz (H) und ihrem Kollegen (K) die Perfektformen.

1. H: Hallo Klaus, ich bin schon da. Die Handwerker _sind_ pünktlich
   gekommen. (kommen)
2. K: Was _____ sie denn gestern _____? (machen)
3. H: Zuerst _____ der Sanitärinstallateur die alten Sachen
   _____. (demontieren)
4. K: _____ er und sein Azubi auch alles _____? (entsorgen)
5. H: Ja, und sie _____ das Bad auch gleich wieder _____. (reinigen)
6. K: Wie lange _____ sie denn _____? (arbeiten)
7. H: Sie _____ bis 18:00 Uhr _____. (bleiben)
8. K: Super! Bei mir _____ die Handwerker immer spätestens um 15:30 Uhr
   _____! (weggehen)
9. H: Ja, da _____ ich wirklich eine gute Entscheidung _____! (treffen)

TIPP

Man gebraucht das Perfekt meist in der Alltagssprache, wenn man über Vergangenes spricht oder wenn die Aktion der Vergangenheit noch für d[ie] Gegenwart wichtig ist, z. B. Ha[t] der Kunde schon angerufen?

2 Vergangenheitszeiten: Präteritum › KB: A3 › B: G12

a **Konjugieren Sie die Verben im Präteritum.**

1.	machen	→ ich *machte*	10.	fahren	→ er _____
2.	montieren	→ du _____	11.	schreiben	→ wir _____
3.	warten	→ er_____	12.	essen	→ sie (Sg.) _____
4.	trocknen	→ es _____	13.	entscheiden	→ er _____
5.	nachschauen	→ wir _____	14.	besprechen	→ du _____
6.	bringen	→ ihr *brachtet*	15.	vorschlagen	→ wir _____
7.	nachdenken	→ sie (Pl.) _____	16.	weggehen	→ ihr _____
8.	kennen	→ Sie _____	17.	mitkommen	→ es _____
9.	haben	→ man _____	18.	ansehen	→ Sie _____

b **Frau Herz erzählt eine Geschichte. Ergänzen Sie die Verben im Präteritum.**

Als Studentin [1] *wohnte* (wohnen) ich mit zwei anderen Frauen in einer 3-Zimmer-

Wohnung. Wir [2] _____ (haben) natürlich nur ein Bad, das wir gemeinsam

[3] _____ (benutzen). Das [4] _____ (sein) manchmal nicht so einfach,

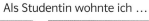
Als Studentin wohnte ich …

weil manche Menschen am Morgen einfach länger brauchen als andere. Es [5] _____

(geben) Tage, da [6] _____ (warten) man eine halbe Stunde oder länger.

Außerdem [7] _____ (sein) das Bad klein und dunkel. Die Fliesen [8] _____

(haben) eine schreckliche Farbe, dunkelbraun, und Waschbecken und Toilette

[9] _____ (sein) dunkelgrün. Schon damals [10] _____ (denken) ich oft,

dass so eine richtige Badsanierung sehr schön wäre. Aber uns [11] _____ (fehlen)

natürlich das Geld dafür. Mein Bruder [12] _____ (machen) zu der Zeit eine Lehre in

einem Sanitärgeschäft. Er [13a] _____ uns [13b] _____ (vorschlagen),

mit dem Vermieter zu sprechen und ihn zu fragen, ob wir das Bad selbst sanieren dürften.

Der Vermieter [14] _____ (entscheiden) sich aber dagegen. Das war meine erste Erfahrung

mit einer „Badsanierung".

3 Vergangenheitszeiten: Das Plusquamperfekt (= die Vorvergangenheit) › KB: A3

a **Bildung: Bilden Sie das Plusquamperfekt mit „haben" und „sein".**

	Verben mit „haben"	Verben mit „sein"
ich	(nachdenken) *ich hatte nachgedacht*	(weggehen) *ich war weggegangen*
du	(vorschlagen) *du hattest …*	(fahren) *du warst …*
er / sie / es	(entscheiden)	(trocknen)
wir	(ansehen)	(mitkommen)
ihr	(warten)	(sein)
sie / Sie	(durchgeben)	(starten)

b Satzbau: Formulieren Sie Sätze im Plusquamperfekt und schreiben Sie sie in die Tabelle.

1. Frau Herz – zuerst – lange – die Badausstattung – nachdenken über – , – danach …
2. Herr Unger – schon – ins Büro – zurückfahren – , – dann …
3. Frau Herz – zuerst – eine andere Badeinrichtung – sich entscheiden für – , – dann …
4. Herr Unger – als Erster – im Büro – ankommen – , – danach …

Position 1	Position 2		Satzende	
1. Frau Herz	hatte	zuerst lange über die Badausstattung	nachgedacht,	danach …
2. Herr Unger	war	…		dann …
3.				
4.				

c Vergleichen Sie die Wortstellung im Plusquamperfekt in 3b mit der Wortstellung im Perfekt in 1b.

Die Wortstellung im Perfekt und Plusquamperfekt ist   a. ☐ gleich.   b. ☐ nicht gleich.   Ⓖ

4 Vorvergangenheit in Nebensätzen mit „nachdem" › KB: A3

a Wortstellung: Lesen Sie die Sätze und markieren Sie die Verbformen. Schreiben Sie dann die Sätze in die Tabelle und kreuzen Sie in den Regeln an.

1. Nachdem Herr Unger weggegangen war, überlegte Frau Herz noch lange.
2. Nachdem sie sich anders entschieden hatte, hat sie Herrn Unger angerufen.
3. Frau Herz war froh, nachdem sie die Änderungen durchgegeben hatte.
4. Die Arbeiten sind gestartet, nachdem Herr Unger weitere Änderungen vorgeschlagen hatte.

Nebensatz			Hauptsatz	
1. Nachdem	Herr Unger	weggegangen war,	überlegte	Frau Herz noch lange.
2.				

Hauptsatz	Nebensatz		
3. Frau Herz war froh,	nachdem	sie die Änderungen	durchgegeben hatte.
4.			

Ⓖ

1. Im Nebensatz mit „nachdem" + Plusquamperfekt beschreibt man ein Ereignis in der Vergangenheit.
   Das Ereignis findet statt   a. ☐ vor   b. ☐ nach   dem Ereignis im Hauptsatz.
2. Im Hauptsatz kann das Präteritum oder das Perfekt stehen.

b Verbinden Sie die Sätze mit „nachdem". Überprüfen Sie dann Ihre Lösungen.

1. Zuerst hat der Sanitärfachmann die Kundin beraten, dann hat er ein Angebot geschickt.

   Nachdem der Sanitärfachmann die Kundin beraten hatte, hat er ein Angebot geschickt.

2. Die Kundin hat das Angebot gelesen. Danach hatte sie noch Fragen.

3. Der Fachmann hat die Fragen beantwortet. Danach hat er das Angebot geändert.

c Formulieren Sie die Sätze in 4b um. Beginnen Sie mit dem Hauptsatz.

1. _Der Sanitärfachmann hat ein Angebot geschickt, nachdem er die Kundin beraten hatte._

2. _____

3. _____

d Was passierte zuerst, was danach? Bilden Sie Sätze mit „nachdem" wie im Beispiel.

1. der Installateur – die alten Sachen – entfernen – , – ein provisorisches WC – er – montieren

   Nachdem der Installateur die alten Sachen entfernt hatte, montierte er ein provisorisches WC.

2. der Installateur – die Badewanne – hinstellen – , – der Trockenbauer – kommen

   _____

3. der Trockenbauer – die Wandverkleidungen – machen –, – der Fliesenleger – mit den Arbeiten – beginnen

   _____

4. der Fliesenleger – alles – fliesen – , – der Maler – das Bad – streichen

   _____

5. alles – trocknen – , – der Elektriker und der Installateur – die Endmontage – machen

   _____

5 Vergleiche: Komparativ und Superlativ › KB: B2

a Bildung: Achten Sie auf die grauen Markierungen und ergänzen Sie die Komparativ- bzw. Superlativformen der Adjektive. Markieren Sie die Besonderheiten.

Grundform	Komparativ	Superlativ
1. schön	schöner	am
2. lang		am längsten
3. teuer	teurer	am
4. flexibel		am flexibelsten
5. preiswert		am preiswertesten
6. alt	älter	am
7. heiß		am heißesten
8. kurz	kürzer	am
9. hübsch	hübscher	am
10. groß		am größten
11. praktisch		am praktischsten
12. hoch		am höchsten
13. nah	näher	am
14. gut	besser	am
15. gern		am liebsten
16. viel	mehr	am

b **Ergänzen Sie die Adjektivendungen.** › B: W2; › K2: G1, 3, 5

Das [1] neue___ Bad von Frau Herz ist sehr [2] schön-___. Frau Herz ist [3] froh___.

Das Bad hat eine [4] groß___ Dusche und keine [5] unpraktisch___ Badewanne mehr.

Das [6] klein___ Waschbecken findet sie [7] praktisch___.

Herr Unger fragt sie, ob sie [8] weiß___ Armaturen möchte, aber die findet sie nicht so [9] schön___. Sie möchte

lieber die [10] modern___ Armaturen aus Chrom. In dem [11] breit___ und [12] hoh___ Spiegel kann man sich sehr

[13] gut___ sehen – eine [14] gut___ Wahl, meint Frau Herz. Die Beratung des [15] kompetent___ und [16] nett___

Herrn Unger war wirklich [17] hilfreich___. Frau Herz ist sehr zufrieden mit ihrem [18] hübsch___ [19] neu___ Bad.

TIPP

Adjektive, die als Ergänzung z
einem Verb gebraucht werde
haben keine Endung.

c **Der Komparativ bei Verben: Vergleichen Sie und formulieren Sie Sätze wie im Beispiel. Überprüfen Sie dann Ihre Lösungen.**

1. Die alte Dusche war klein, die neue ist *größer*_____. (groß)

2. Die Badewanne war unpraktisch, die Dusche ist viel *praktischer*_____. (praktisch)

3. Das kleine Waschbecken ist billig, das große ist leider viel _____. (teuer)

4. Der Installateur arbeitete sehr schnell, der Trockenbauer arbeitete _____. (langsam)

5. Die erste Rechnung war nicht so hoch, die zweite war leider _____. (hoch)

6. Das erste Beratungsgespräch dauerte nur kurz, das zweite dauerte viel _____. (lang)

d **„größer als"– Vergleichssätze mit dem Komparativ: Formulieren Sie die Sätze in 5c um wie im Beispiel.**

1. *Die neue Dusche ist größer als die alte.*_____

2. *Die Dusche ist viel praktischer als die Badewanne.*_____

3. _____

4. _____

5. _____

6. _____

6 Vergleichssätze mit „(genau)so wie" und „nicht so wie" › ÜB: B3

Formulieren Sie Vergleichssätze mit „(genau)so wie" oder „nicht so wie".

1. am Dienstag – die Handwerker – genauso lange – arbeiten – am Montag – wie (Perfekt)

   Am Dienstag haben die Handwerker genauso lange gearbeitet wie am Montag.

2. heute – nicht so früh – kommen – gestern – wie (Perfekt)

   Heute sind sie nicht so früh gekommen wie gestern.

3. hoffentlich – sie – morgen – genauso pünktlich – da sein – am ersten Tag – wie (Präsens)

   _____

4. die Badsanierung – nicht so lange – dauern – geplant – wie (Perfekt)

   _____

5. ein Sanitärinstallateur – ungefähr – so viel – verdienen – ein Heizungsmonteur – wie (Präsens)

   _____

TIPP

Ein Vergleich steht oft ganz a
Satzende.

7 Der Komparativ und der Superlativ vor Nomen › KB: B2

a Ergänzen Sie die Adjektivendungen der Komparativ- und Superlativformen. Achten Sie auf Artikel und Präpositionen. Überprüfen Sie dann Ihre Lösungen.

1. ein älter*er* Kunde
2. eine besser*e* Beratung
3. ein günstiger___ Angebot
4. für eine schöner___ Wanne
5. einen kompetenter___ Maler
6. wegen der länger___ Fristen
7. das preiswertest___ Becken
8. die längst___ Diskussion
9. bei dem kürzest___ Treffen
10. mit der neuest___ Einrichtung
11. der flexibelst___ Handwerker
12. den höchst___ Preis
13. bei dem teuerst___ Angebot
14. in dem hübschest___ Raum
15. für die praktischst___ Ideen

b Lesen Sie den Tipp. Ordnen Sie die Nomen mit den Komparativ- und Superlativformen aus 7a zu und ergänzen Sie die fehlenden Formen.

> **TIPP**
> Wenn ein Adjektiv im Superlativ vor einem Nomen steht, bekommt das Nomen den bestimmten Artikel.

Nominativ	ein *alter* Kunde, ein *älterer* Kunde, *der* *älteste* Kunde
	eine gute Beratung, eine *bessere* Beratung, *die* *beste* Beratung
	ein günstiges Angebot, ein ___ Angebot, ___ Angebot
	das preiswerte Becken, das ___ Becken, ___ Becken
	die lange Diskussion, die ___ Diskussion, ___ Diskussion
	der flexible Handwerker, der ___ Handwerker, ___ Handwerker
Akkusativ	für eine schöne Wanne, für eine ___ Wanne, für ___ Wanne
	einen kompetenten Maler, einen ___ Maler, ___ Maler
	den hohen Preis, den ___ Preis, ___ Preis
	für die praktischen Ideen, für die ___ Ideen, für ___ Ideen
Dativ	bei dem kurzen Treffen, bei dem ___ Treffen, bei ___ Treffen
	mit der neuen Einrichtung, mit der ___ Einrichtung, mit ___ Einrichtung
	bei dem teuren Angebot, bei dem ___ Angebot, bei ___ Angebot
	in dem hübschen Raum, in dem ___ Raum, in ___ Raum
Genitiv	wegen der langen Fristen, wegen der ___ Fristen, wegen ___ Fristen

c Ergänzen Sie die richtigen Formen – Grundform, Komparativ oder Superlativ.

Eine Badsanierung ist manchmal eine [1] *große* (groß) Belastung. Aber für Frau Herz war es die

[2] *beste* (gut) Erfahrung mit Handwerkern, die sie in ihrem Leben gemacht hat. Sie erzählt:

„Ich habe noch nie eine [3] *kompetentere* (kompetent) Beratung bekommen, und auch der Preis

war [4] ___ (günstig) als bei anderen Anbietern. Außerdem waren die Handwerker sehr

[5] ___ (sorgfältig). Am [6] ___ (flexibel) war der Installateur. Der hat

manchmal [7] ___ (lang) gearbeitet, als er geplant hatte, damit der nächste Handwerker

[8] ___ (pünktlich) mit seiner Arbeit beginnen konnte. [9] ___ (zufrieden)

als ich kann man nicht sein!"

Wortschatz und Schreiben

1 Der Bauauftrag › KB: A

Bilden Sie zusammengesetzte Nomen mit dem Verb „bauen". Notieren Sie Artikel und Plural. Vier Nomen passen nicht.

Auftrag | Einarbeitung | Genehmigung | Herr | Kosten | Kredit | Leistung | Mangel |
Mentor | Mitarbeiter | Plan | Prozess | Stelle | Zuständigkeit

1. *der Bauauftrag, -..e*   6. _____
2. _____   7. _____
3. _____   8. _____
4. _____   9. _____
5. _____   10. _____

2 Wortbildung: Nomen mit „-ung" und „-(a/k)tion" aus Verben › KB: A

a   **Bilden Sie aus den Verben Nomen mit „-ung" bzw. „-(a/k)tion". Notieren Sie auch Artikel und Plural.**

1. ausschreiben → *die Ausschreibung, -en*   6. genehmigen → _____
2. informieren → *die Information, -en*   7. kooperieren → _____
3. erfassen → _____   8. vereinbaren → _____
4. kalkulieren → _____   9. konstruieren → _____
5. investieren → _____   10. unterstützen → _____

b   **Schauen Sie sich die Nomen in 2a an und ergänzen Sie die Regeln.**

Ⓖ

1. Der Artikel von Nomen mit „-ung" und „-(a/k)tion" ist „_____".
2. Die Pluralendung ist immer „_____".

3 Was tun Architekten? › KB: A

Welches Verb passt zum Nomen: a oder b? Kreuzen Sie an.

1. ein Angebot   a. ☒ erstellen
         b. ☐ organisieren
2. Kosten   a. ☐ kalkulieren
         b. ☐ leisten
3. Abläufe   a. ☐ abrechnen
         b. ☐ organisieren
4. Planungsleistungen   a. ☐ erbringen
         b. ☐ machen
5. Bauarbeiten   a. ☐ einarbeiten
         b. ☐ dokumentieren
6. Mängel   a. ☐ erfassen
         b. ☐ erledigen
7. die Abrechnung   a. ☐ kontrollieren
         b. ☐ planen

4 Aufträge vergeben und in einem Protokoll festhalten › KB: B

a Wer macht was? Ergänzen Sie die fehlenden Präpositionen.

bei | für | für | in | mit | mit | über | um | um

1. Frau Hesse trägt die Verantwortung _für_ die Einarbeitung von Frau Kleinfeld.
2. Aber es gibt sehr viele Probleme _bei_ dem Projekt.
3. Daher soll das Team Frau Hesse _____ der Einarbeitung von Frau Kleinfeld unterstützen.
4. Frau Kleinfeld kümmert sich _____ die Abrechnung.
5. Bei Problemen soll Frau Kleinfeld Frau Martínez _____ Unterstützung bitten.
6. Herr Klausner setzt sich mit Herrn Kögel _____ Verbindung.
7. Er soll _____ Herrn Kögel eine Vereinbarung treffen.
8. Frau Kleinfeld soll Herrn Stoll wöchentlich _____ die Entwicklung der Einarbeitung berichten.
9. Herr Stoll möchte so _____ ein gutes Arbeitsklima sorgen.

b Bilden Sie aus den Verben Nomen. Schauen Sie ggf. auch im Wörterbuch nach. Überprüfen Sie dann Ihre Lösungen.

1. planen → _der Plan / die Planung_
2. einarbeiten → _die Einarbeitung_
3. ablegen → _____
4. erstellen → _____
5. starten → _____
6. prüfen → _____
7. protokollieren → _____
8. berichten → _____
9. ablaufen → _____
10. einführen → _____

c Herr Klausner soll das Protokoll schreiben. Ergänzen Sie seine Notizen mit Nomen aus 4b. Schauen Sie ggf. in das Protokoll im Kursbuch 7B. Überprüfen Sie dann Ihre Lösungen.

TIPP

In Notizen schreibt man oft keine Artikel.

1. Fr. Hesse: zuständig für _Einarbeitung_ von Fr. Kleinfeld.
2. Fr. Hesse: wenig Zeit, da beschäftigt mit _Planung_ des nächsten Projekts.
3. Fr. Kleinfeld: nicht zufrieden mit _____ im neuen Büro und _____ der Einarbeitung.
4. Hr. Stoll: Fr. Kleinfeld _____ der Unterlagen erklären.
5. Fr. Martínez: Fr. Kleinfeld _____ der Abrechnungen zeigen.
6. Hr. Kögel: um _____ in die Software kümmern.
7. Fr. Kleinfeld: Fr. Hesse bei _____ des Monatsberichts unterstützen.

d Formulieren Sie die Notizen in 4c in ganze Sätze um.

1. _Frau Hesse ist für die Einarbeitung von Frau Kleinfeld zuständig._
2. _____
3. _____
4. _____
5. _____
6. _____
7. _____

5 Kommunikationsstile › KB: C

a Wie heißt das Gegenteil? Notieren Sie Adjektive. Dreimal gibt es zwei Möglichkeiten. Überprüfen Sie dann Ihre Lösungen.

1. ineffizient ≠ *effizient* _____
2. direkt ≠ _____
3. kritisch ≠ _____
4. unkonkret ≠ _____

5. emotional ≠ _____
6. harmonisch ≠ _____
7. unhöflich ≠ _____
8. leicht ≠ _____

b Ordnen Sie die Adjektive in 5a den Beschreibungen zu. Notieren Sie sie in der passenden Form.

1. Man arbeitet rasch auf ein Ziel hin. Man arbeitet *effizient* _____.
2. Man erzählt vorher keine Geschichte, sondern spricht sofort über die zentralen Punkte.

   Man spricht die Punkte _____ an.
3. Man zeigt Gefühle. Man ist _____.
4. Man findet es wichtig, dass sich alle mögen. Man mag eine _____ Atmosphäre.
5. Man spricht nicht in Bildern. Man ist _____.
6. Man spricht viel über Fehler. Man ist _____.
7. Man sieht immer Probleme. Man findet alles _____.
8. Man möchte keinem Kollegen oder Vorgesetzten wehtun. Daher ist man immer sehr _____.

c Lesen Sie die Informationen über die berufliche Kommunikation in Deutschland und ergänzen Sie die fehlenden Nomen.

Besprechungen | Ergebnis | Gefühl | Kommunikationsstil | Konflikte | Kritik | Small Talk | Störungen | Vorschlag | Ziel

Berufliche Kommunikation in Deutschland

Bei [1] *Besprechungen* _____ zwischen deutschen und internationalen Geschäftspartnern kommt

es manchmal zu [2] _____ in der Kommunikation. Denn Deutsche beginnen

Besprechungen relativ schnell und direkt mit den zentralen Punkten. In vielen Ländern ist aber der

[3] _____ am Anfang ein wichtiger Teil der Verhandlung und nicht nur eine kurze

Einführung in das Gespräch. Die Deutschen haben hier also einen anderen [4] _____:

Bei einer Besprechung möchte man in Deutschland schnell zu einem [5] _____ kommen.

Das [6] _____ ist daher Klarheit und Effizienz. Aus diesem Grund sprechen Deutsche

Probleme und [7] _____ auch öfter direkt an. In vielen Ländern findet man das unhöflich.

In Deutschland ist das aber normal und erlaubt, denn man macht hier einen Unterschied zwischen

der Sache und dem [8] _____. Wichtig ist aber auch in Deutschland, dass man die

[9] _____ sachlich formuliert, also z. B. ein Problem nennt, aber die Person nicht hart und

direkt kritisiert. So ist es z.B. hilfreich, wenn man die Kritik in Form einer Information mitteilt und die Person

um einen [10] _____ bittet.

6 Urlaub, Urlaub, Urlaub › KB: D

a Verbinden Sie die Wörter mit „Urlaub-" oder „-urlaub". Achten Sie auf den Verbindungsbuchstaben „-s" und notieren Sie Artikel und Plural. Vier Wörter bleiben übrig. Überprüfen Sie dann Ihre Lösungen.

> Anspruch | Jahr | Bearbeitung | Antrag | Brücke | Erholung | Geld | Kollege |
> Sommer | Tag | Unterstützung | Vertretung | Zeit | aktiv | kurz | wandern

1. *der Urlaubsanspruch, ̈-e*
2. *der Jahresurlaub, -e*
3. _____
4. _____
5. _____
6. _____

7. _____
8. _____
9. _____
10. _____
11. _____
12. _____

b Welche Wörter aus 6a passen zu den Erklärungen? Ordnen Sie zu.

1. Man hat festgelegt, wie viel Urlaub man pro Jahr bekommt: *Urlaubsanspruch*

2. Man bekommt für den Urlaub ein Extragehalt: _____

3. In diesem Urlaub treibt man sehr viel Sport in der Natur: _____

4. Dieser Urlaub ist der längste im Jahr: _____

5. Man nimmt nur wenige Tage Urlaub: _____

6. Diese Person ist der Ansprechpartner im Unternehmen, wenn man Urlaub hat: _____

7. Das Formular, das man ausfüllt, um Urlaub zu bekommen: _____

8. Man macht diesen Urlaub, um sich auszuruhen: _____

9. Man nimmt 2 Arbeitstage Urlaub im Mai und 10 im Juli. Das sind 12 _____.

7 Urlaubsplanung im Büro › KB: D

Frau Kleinfeld möchte im August drei Tage Urlaub nehmen. Sie darf in dieser Zeit aber nicht in Urlaub fahren, weil sie die Urlaubsvertretung von Frau Martínez ist. Schreiben Sie für Frau Kleinfeld eine E-Mail an den Projektleiter, Herrn Stoll. Gehen Sie dabei auf folgende Punkte ein. Die Redemittel helfen.

- Frau Martínez: Urlaub von 30.07. bis 17.08.
- Frau Kleinfeld: Urlaubsvertretung von Frau Martínez, darf keinen Urlaub nehmen, wenn Frau Martínez in Urlaub
- Verwandte von Frau Kleinfeld: kommen am 7.8. aus Kanada
- Frau Kleinfeld: möchte mit Verwandten ein paar Tage verreisen → Region zeigen
- Frau Kleinfeld: möchte vom 8. bis 10.8. Urlaub nehmen
- Frau Hesse: übernimmt Urlaubsvertretung für Frau Kleinfeld und Frau Martínez
- Frau Kleinfeld: unterstützt Frau Hesse anschließend bei Erstellung Angebote

> Ich wende mich heute an Sie, weil es ein Problem mit ... gibt. | Ich habe schon mit ... gesprochen. |
> Er / Sie ist bereit, ..., wenn ... | Wäre es unter der Bedingung möglich, dass ...?

→ ✉ u.stoll@wennigsen_partner.de   _ ▢ ✕

Lieber Herr Stoll,

ich wende mich heute an Sie, weil es ein Problem mit der Urlaubsplanung gibt. Frau Martínez ...

Grammatik

1 Folgen mit „sodass" und „so …, dass" ausdrücken › KB: A3

a **Lesen Sie die Sätze und markieren Sie „sodass" und „so …, dass".**

1. Frau Hesse soll Frau Kleinfeld einarbeiten, sodass Frau Kleinfeld schnell alleine arbeiten kann.
2. Aber Frau Hesse hat so wenig Zeit, dass sie Frau Kleinfeld nicht einarbeiten kann.
3. Frau Kleinfeld ist so unzufrieden, dass sie Herrn Stoll um ein Gespräch bittet.
4. Herrn Stoll ist die Einarbeitung sehr wichtig, sodass er sofort eine Teambesprechung plant.

b **Schreiben Sie die Sätze aus 1a in die Tabelle.**

Hauptsatz	Nebensatz		
1. *Frau Hesse soll Frau Kleinfeld einarbeiten,*	*sodass*	*Frau Kleinfeld schnell alleine*	*arbeiten kann.*
2. *Aber Frau Hesse hat so wenig Zeit,*	*dass*	…	
3.			
4.			

c **Lesen Sie die Sätze mit „sodass". Welche Sätze kann man auch mit „so …, dass" formulieren? Notieren Sie sie.**

1. Frau Kleinfeld bekommt wenige Informationen, sodass sie viele Aufgaben nicht erledigen kann.
2. Das Architekturbüro plant schon ein neues Projekt, sodass Frau Hesse sich darum kümmern muss.
3. Der Architekt Wennigsen ist bekannt, sodass das Büro viele Aufträge bekommt.
4. Die Zahl der Aufträge ist stark gestiegen, sodass alle Mitarbeiter sehr viel zu tun haben.
5. Frau Kleinfeld hat vorher in einem anderen Büro gearbeitet, sodass sie die Abläufe nicht kennt.

1. *Frau Kleinfeld bekommt so wenige Informationen, dass sie viele Aufgaben nicht erledigen kann.*
2. _____
3. _____
4. _____
5. _____

d **Formulieren Sie Sätze mit „sodass" und, wenn möglich, auch mit „so …, dass".**

1. Frau Hesse – alle Aufgaben – von Herrn Müller – erledigen müssen – , – keine Zeit – für Frau Kleinfeld – haben
   Frau Hesse muss alle Aufgaben von Herrn Müller erledigen, sodass sie keine Zeit für Frau Kleinfeld hat.

2. Herr Müller – schwer krank – sein – , – er – lange – nicht – arbeiten – können
   Herr Müller ist schwer krank, sodass er lange nicht arbeiten kann. / Herr Müller ist so schwer krank, dass er lange nicht arbeiten kann.

3. im Projekt – viele Probleme – geben – , – das Team – viel Stress – haben
   _____

4. Herr Stoll – ein guter Teamleiter – sein – , – er – bei den Kollegen – sehr beliebt – sein
   _____

5. Frau Kleinfeld – keine große Berufserfahrung – haben – , – sie – sehr unsicher – sein
   _____

2 Folgen mit „also" ausdrücken › KB: A3

a Lesen Sie die Sätze und markieren Sie „also".

1. a. Es gibt viele Probleme bei der Einarbeitung. Also hat Frau Kleinfeld keinen guten Start.
   b. Es gibt viele Probleme bei der Einarbeitung. Frau Kleinfeld hat also keinen guten Start.

2. a. Es gibt viele Probleme bei der Einarbeitung. Also ärgert sich Frau Kleinfeld oft.
   b. Es gibt viele Probleme bei der Einarbeitung. Frau Kleinfeld ärgert sich also oft.

3. a. Es gibt viele Probleme bei der Einarbeitung. Frau Kleinfeld möchte also den Projektleiter sprechen.
   b. Es gibt viele Probleme bei der Einarbeitung. Frau Kleinfeld möchte ihn also sprechen.
   c. Es gibt viele Probleme bei der Einarbeitung. Frau Kleinfeld möchte ihm also die Probleme beschreiben.

b Schauen Sie sich in den Sätzen in 2a die Stellung von „also" an und ergänzen Sie die Regel.

1. „also" ist ein Verbindungsadverb (= Hauptsatzkonnektor).
2. Ein Verbindungsadverb verbindet   a. ☐ zwei Hauptsätze.   b. ☐ einen Haupt- und einen Nebensatz.
3. Ein Verbindungsadverb kann am Anfang vom 2. Satz auf Pos. 1 stehen. Sätze: _1a,_____
4. Ein Verbindungsadverb kann im 2. Satz auch in der Satzmitte nach dem Verb stehen. Sätze: _____
5. Wenn die Akkusativergänzung oder die Dativergänzung ein Pronomen ist, z. B. „sich", „ihn", „ihm",
   steht das Verbindungsadverb   a. ☐ vor dem Pronomen.   b. ☐ nach dem Pronomen.

c Verbinden Sie die Sätze mit „also" am Satzanfang und in der Satzmitte.

1. Frau Hesse – viele Projekte – haben – , – sie – Frau Kleinfeld – nur wenig – unterstützen - können

   Frau Hesse hat viele Projekte, also kann sie Frau Kleinfeld nur wenig unterstützen. / Frau Hesse
   hat viele Projekte, sie kann also Frau Kleinfeld nur wenig unterstützen.

2. Frau Kleinfeld – keine Hilfe – bekommen – , – sie – nicht – gut – sich fühlen

   Frau Kleinfeld bekommt keine Hilfe, also fühlt sie sich nicht gut. / Frau Kleinfeld bekommt keine
   keine Hilfe, sie fühlt sich also nicht gut.

3. die anderen Kollegen – auch – keine Zeit – haben – , – die Einarbeitung – nicht – gut – laufen

   _____

   _____

4. Frau Hesse – Frau Kleinfeld – nicht – die Regeln – erklären – , – Frau Kleinfeld – sie – nicht – kennen

   _____

   _____

5. Frau Kleinfeld – nicht – zufrieden – sein – , – sie – bei Herrn Stoll – sich beschweren

   _____

   _____

6. Herr Stoll – das Problem – von Frau Kleinfeld – sehen – , – er – ihr – eine Teambesprechung – vorschlagen

   _____

   _____

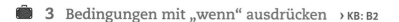

3 Bedingungen mit „wenn" ausdrücken › KB: B2

a **Schreiben Sie die Sätze in die Tabelle.**

1. Frau Kleinfeld arbeitet besser, wenn sie einen Ansprechpartner hat.
2. Frau Hesse ist eine gute Mentorin, wenn sie genug Zeit hat.
3. Herr Kögel bekommt eine Extravergütung, wenn er die Software-Einführung macht.

Hauptsatz	Nebensatz		
1. Frau Kleinfeld arbeitet besser,	wenn	sie einen Ansprechpartner	hat.
2.			
3.			

b **Formulieren Sie die Sätze in 3a so um, dass der Nebensatz am Anfang steht.**

Nebensatz			Hauptsatz	
1. Wenn	Frau Kleinfeld einen Ansprechpartner	hat,	arbeitet	sie besser.
2.				
3.				

c **Markieren Sie die Bedingung. Formulieren Sie dann Bedingungssätze mit „wenn".**

1. Frau Kleinfeld kann selbstständig arbeiten. Sie ist eine Unterstützung für das Team.

   Wenn Frau Kleinfeld selbstständig arbeiten kann, ist sie eine Unterstützung für das Team.

2. Frau Kleinfeld lernt die Abrechnungen schneller. Frau Martínez hilft ihr.

   Frau Kleinfeld lernt die Abrechnungen schneller, wenn Frau Martínez ihr hilft.

3. Die Einarbeitung von Frau Kleinfeld funktioniert besser. Alle sind dafür zuständig.

   _____

4. Der Praktikant kommt auf die Baustelle mit. Die Handwerker beschweren sich.

   _____

4 Irreale Bedingungssätze mit „wenn" › KB: B2

a **Lesen Sie die Sätze. Wie ist die Situation in Wirklichkeit? Notieren Sie.**

1. Wenn es nicht so viele Aufträge gäbe, hätten die Teammitglieder nicht so viel Stress.

   → _Es gibt viele Aufträge. Also haben die Teammitglieder viel Stress._

2. Frau Hesse hätte mehr Zeit für Frau Kleinfeld, wenn Herr Müller zurückkäme.

   → _Herr Müller kommt nicht zurück. Also hat Frau Hesse wenig Zeit für Frau Kleinfeld._

3. Frau Kleinfeld müsste nicht so viel fragen, wenn sie wüsste, wo alles ist.

   → _____

4. Wenn Herr Klausner Frau Kleinfeld helfen würde, wäre er eine Unterstützung.

   → _____

5. Frau Kleinfeld ginge es gut, wenn die Einarbeitung funktionieren würde.

   → _____

b Markieren sie in den Sätzen in 4a die Verbformen von „geben", gehen", „kommen" und „wissen" im Konjunktiv II.

c Schreiben Sie die markierten Verbformen aus 4a in die Tabelle. Ergänzen Sie dann die anderen Verbformen im Konjunktiv II und im Präteritum.

	gehen		geben		kommen		wissen	
	Prät. → Konj. II		Prät. → Konj. II		Prät. → Konj. II		Prät. → Konj. II	
ich	ging	→ ginge	gab	→	kam	→ käme	wusste	→
du	gingst	→ ging(e)st		→ gäb(e)st	kamst	→	wusstest	→ wüsstest
er / sie / es	ging	→	gab	→ gäbe	kam	→	wusste	→
wir	gingen	→ gingen	gaben	→ gäben		→ kämen	wussten	→
ihr	gingt	→ ging(e)t	gabt	→ gäb(e)t	kamt	→		→ wüsstet
sie / Sie		→ gingen	gaben	→	kamen	→ kämen	wussten	→ wüssten

d Notieren Sie die fehlenden Konjunktiv-II-Formen. Überprüfen Sie dann Ihre Lösungen. › K3: G6, 8 › K4: G1, 3

1. Wenn der Stress nicht so hoch _wäre_____ (sein), _könnten_____ (können) wir Frau Kleinfeld besser unterstützen.

2. Ich _würde_____ nicht so viele Fehler _machen_____ (machen), wenn ich mehr Unterstützung

   _bekäme_____ (bekommen).

3. Wenn ich die Aktenstruktur besser _kennen würde_ (kennen), _____ (müssen) ich nicht so viele Fragen stellen.

4. Ich _____ (können) vieles selbstständig machen, wenn man mir die Abrechnung _____ (erklären).

5. Wenn Herr Kögel Frau Kleinfeld in die Software _____ (einführen), _____ (sein) das eine große Hilfe.

6. Alle _____ (haben) mehr Zeit, wenn es weniger Projekte _____ (geben).

7. Wenn ich mehr _____ (wissen), _____ ich vieles schon alleine _____ (erledigen).

e Lesen Sie die Sätze und markieren Sie die Bedingung.

1. Wenn es weniger Probleme bei der Einarbeitung gäbe, wären alle zufriedener.
   → Gäbe es weniger Probleme bei der Einarbeitung, wären alle zufriedener.
2. Frau Kleinfeld würde sich nicht beschweren, wenn sie zufriedener wäre.
   → Wäre Frau Kleinfeld zufriedener, würde sie sich nicht beschweren.
3. Wenn das Team nicht so viel Arbeit hätte, könnten sich alle besser um die Einarbeitung kümmern.
   → Hätte das Team nicht so viel Arbeit, könnten sich alle besser um die Einarbeitung kümmern.
4. Die Arbeitsatmosphäre wäre besser, wenn das Team Frau Kleinfeld mehr unterstützen würde.
   → Würde das Team Frau Kleinfeld mehr unterstützen, wäre die Arbeitsatmosphäre besser.

f Schreiben Sie die Sätze ohne „wenn" aus 4e in die Tabelle.

Nebensatz		Hauptsatz	
1. Gäbe	es weniger Probleme bei der Einarbeitung,	wären	alle zufriedener.
2.			
3.			
4.			

g Markieren Sie in den Sätzen in 4d die Bedingung und formulieren Sie die Sätze dann in irreale Bedingungssätze ohne „wenn" um.

1. _Wäre der Stress nicht so hoch, könnten wir Frau Kleinfeld besser unterstützen._
2. _Bekäme ich mehr Unterstützung, würde ich nicht so viele Fehler machen._
3. _Würde ich ..._
4. _____
5. _____
6. _____
7. _____

> Bekäme ich mehr Unterstützung, …

h Lesen Sie die Situationsbeschreibungen und markieren Sie die Bedingung. Formulieren Sie dann irreale Bedingungssätze mit „wenn". Überprüfen Sie dann Ihre Lösungen.

1. Der Bauherr hat viele Extrawünsche. Der Bau dauert länger als geplant.

   Wenn der Bauherr nicht so viele Extrawünsche hätte, würde der Bau nicht länger als geplant dauern.

2. Die Fertigstellung verschiebt sich. Die Handwerker arbeiten nicht termingerecht.

   Die Fertigstellung würde sich nicht verschieben, wenn die Handwerker termingerecht arbeiten würden.

3. Der Architekt kann das Projekt nicht pünktlich abschließen. Der Bauherr hat ständig neue Ideen.

   _____

4. Es gibt ständig neue Änderungen. Die Kosten steigen.

   _____

5. Der Architekt ärgert sich. Der Bauherr beschwert sich ständig.

   _____

i Formulieren Sie die Sätze in 4h in Bedingungssätze ohne „wenn" um.

1. _Hätte der Bauherr nicht so viele Extrawünsche, würde der Bau nicht länger als geplant dauern._
2. _Würden die Handwerker termingerecht arbeiten, würde sich die Fertigstellung nicht verschieben._
3. _____
4. _____
5. _____

5 Die Artikelwörter und Pronomen „manch-" und „einig-" › KB: C4

a Lesen Sie die Sätze und ergänzen Sie die Artikelwörter „manch-" und „einig-" in der passenden Form.

1. _Manchen_ _____ (manch-) Gesprächspartnern fehlt in Deutschland der Small Talk und

   _____ (manch-) finden die Gesprächskultur zu direkt.

2. In _____ (einig-) Kulturen ist es unhöflich, wenn man andere im Gespräch kritisiert.

3. Aber _____ (manch-) Problem kann man besser lösen, wenn man offen darüber spricht.

4. Für _____ (einig-) Gesprächspartner von Deutschen ist das ein neuer Gedanke.

b Ergänzen Sie „manch-" und „einig-" als Pronomen (= ohne Nomen).

1. Mit dem Kommunikationsstil der Deutschen in Besprechungen haben *einige* _____ (einig-) Probleme.

2. Für _____ (manch-) ist es zum Beispiel undenkbar, mit ihrem Chef zu diskutieren.

3. In ihrem Heimatland würden sie _____ (manch-) anders machen.

4. In einem anderen Land kann man immer _____ (einig-) über Kulturunterschiede lernen.

6 Demonstrativartikel und Demonstrativpronomen „derselbe"/„dasselbe"/„dieselbe" › ÜB: D2

a Welche Form passt: a oder b? Kreuzen Sie an.

1. Die Projektmitglieder sind   a. ☐ denselben   b. ☒ dieselben   wie beim letzten Projekt.
2. Auch der Projektleiter ist   a. ☐ denselben.   b. ☐ derselbe.
3. Ein Kollege findet in   a. ☐ demselben   b. ☐ denselben   Bereich wie ich keine Lösung.
4. Er sieht daher   a. ☐ dasselbe   b. ☐ denselben   Problem wie ich.
5. Unser Projektleiter hat   a. ☐ dasselbe   b. ☐ dieselbe   Meinung wie wir.
6. Mein Kollege hat leider zu   a. ☐ derselben   b. ☐ dieselbe   Zeit ein anderes Projekt.
   Deshalb können wir nicht zusammenarbeiten.

b Lesen Sie die Sätze in 6a und ergänzen Sie die fehlenden Formen von „derselbe"/„dasselbe"/„dieselbe".

	Maskulinum (M)	Neutrum (N)	Femininum (F)	Plural (M, N, F)
Nominativ		dasselbe	dieselbe	*dieselben*
Akkusativ	denselben			dieselben
Dativ		demselben		denselben

c „derselbe" oder „der gleiche"? Was passt? Kreuzen Sie an.

1. Im Restaurant bestellen wir beide Tomatensuppe. Wir essen
    a. ☐ dieselbe   b. ☒ die gleiche   Suppe.
2. Mein Kollege und ich sitzen in einem Büro. Wir haben
    a. ☒ dasselbe   b. ☐ das gleiche   Büro.
3. Meine Kollegin und ich fahren im Juli in Urlaub. Wir sind in
    a. ☐ demselben   b. ☐ dem gleichen   Monat in Urlaub.
4. Es wurden neue Kaffeebecher gekauft. Wir trinken nun alle aus
    a. ☐ denselben   b. ☐ den gleichen   Bechern.
5. Bei Dienstreisen in Hamburg gehen meine Kollegen vom Vertrieb und ich immer in
    a. ☐ dasselbe   b. ☐ das gleiche   Hotel.
6. Auf der Messe tragen alle
    a. ☐ dieselben   b. ☐ die gleichen   Hosen und Jacken.

die gleiche Suppe

dieselbe Suppe

d Ergänzen Sie „derselbe"/„dasselbe"/„dieselbe" in der richtigen Form.

1. Wir haben *dieselbe* _____ Frage.

2. Unser Kollege erzählt immer _____ Geschichten.

3. Nach dem Abteilungsumzug sitze ich in _____ Büro wie vor zehn Jahren.

4. Jeden Montag haben wir _____ Ärger: Herr Maier kommt immer zu spät.

5. Letztes Jahr war ich für _____ Projekt zuständig, das nun du leitest.

6. Es gibt immer an _____ Punkt Probleme.

Wortschatz und Schreiben

1 Reisende Wörter › KB: A

a Bilden Sie Wörter mit „Reise". Zwei Wörter passen nicht. Notieren Sie auch Artikel und Plural, wenn möglich.

⌐ Angebot | Branche | Buchung | Büro | Internet | Kreuzfahrt | Planung | Veranstalter | Ziel

1. _das_ Reise _angebot, -e_ _____
2. _____ Reise _____
3. _____ Reise _____
4. _____ Reise _____

5. _____ Reise _____
6. _____ Reise _____
7. _____ Reise _____

b Notieren Sie die passenden Adjektive.

1. die Station → _stationär_ _____
2. die Schwierigkeit → _____
3. die Härte → _____
4. die Kompetenz → _____

5. die Gefahr → _____
6. die Größe → _____
7. die Komplikation → _____
8. das Interesse → _____

c Ergänzen Sie die passenden Verben bzw. Nomen mit Artikel.

Nomen	Verb		Nomen	Verb
1. das Angebot	_anbieten_		4.	vortragen
2.	herausfordern		5.	veranstalten
3. die Reise			6. die Beratung	

d Verbinden Sie die Wörter. Achten Sie auf den Verbindungsbuchstaben „-s" und notieren Sie Artikel und Plural.

1. Urlaub — Tag
2. Vortrag — Angebot
3. Aktion — Region
4. Zeitung — Fahrt
5. Internet — Artikel
6. Kreuz — Abend

1. _die Urlaubsregion, -en_
2. _____
3. _____
4. _____
5. _____
6. _____

2 Entwicklungen in der Reisebranche › KB: A

Ergänzen Sie den Text über die Reisebranche. Versuchen Sie es zuerst ohne den Schüttelkasten.

⌐ Angebot | Konkurrenz | Kunden | Reisebranche | Reisebüros | Reiseveranstalter

Die gesamte [1] _Reisebranche_ verändert sich. Früher hatten die meisten [2] _____ Reisen

von verschiedenen Anbietern im [3] _____. Heute gehören die meisten Reisebüros zu einer

Franchise-Kette und bieten nur Reisen von einem [4] _____ an. Außerdem ist das Internet für viele

Reisbüros eine harte [5] _____. [6] Jüngere _____ z. B. buchen fast nur noch online.

3 Aktionstag im Reisebüro › KB: B

a Welches Verb passt zum Nomen: a oder b? Kreuzen Sie an.

1. einen Aktionstag   a. ☒ organisieren   b. ☐ einrichten
2. Werbemittel   a. ☐ bestellen   b. ☐ verkaufen
3. Flyer   a. ☐ erteilen   b. ☐ verteilen
4. Poster   a. ☐ anhängen   b. ☐ aufhängen
5. ein Angebot   a. ☐ erstellen   b. ☐ aufstellen

Erleben Sie die Reisewelt der Clubschiff-Kreuzfahrten!
Skandinavien » Karibik » Mittelmeer
Samstag, 9. April, 10:00 – 18:00 Uhr
• individuelle Beratung und Information
• Kinderspielecke
• 11:00 und 15:00 Uhr: Präsentation mit Fotos, Routen und Schiffe der Hanse Cruise Line
• Karibische Cocktails und schwedische Kaffeepause mit Zimtschnecken
Und neu im Programm: Kreuzfahrten für Teens und Tweens!
Bei einer Reisebuchung am selben Tag erhalten Sie ein kleines Überraschungsgeschenk. Wir freuen uns auf Ihren Besuch!
Reisebüro MARINA
Hartmannstraße 65
www.marina-reisebüro.de

b Frau Kleinert war beim Aktionstag, hat aber die Präsentation von Frau Kern verpasst. Ergänzen Sie die Anfrage von Frau Kleinert an das Reisebüro.

> Gibt es … | ~~Ich interessiere mich sehr für …~~ | Ich fände es gut, … | Ich wäre Ihnen sehr dankbar, … |
> Könnten Sie mir bitte schreiben, …

→ ✉ b.kern@marina-reiseb.de   _ ☐ ✕

Sehr geehrte Frau Kern,

bei dem Aktionstag am letzten Samstag habe ich leider Ihre Präsentation verpasst.

[1] *Ich interessiere mich sehr für*   eine Kreuzfahrt. Ich reise alleine und möchte mich nicht langweilen,

[2] _____ da spezielle Angebote? Ich möchte im Mai oder Juni verreisen.

[3] _____, welche Reiseziele Sie in diesem Zeitraum anbieten?

[4] _____, wenn es ein Angebot wäre, bei dem Essen und Getränke inklusive sind.

[5] _____, wenn Sie mir möglichst bald antworten könnten.

Mit freundlichen Grüßen
Anna Kleinert

---

c Sie sind Frau Kern und beantworten die Anfrage in 3b. Gehen Sie auf folgende Punkte ein. Denken Sie auch an Anrede und Grußformel.

- Bedanken Sie sich für die Anfrage.
- Sie haben ein passendes Angebot für die Kundin.
- ein Anbieter: ganz neue Clubschiffe
- Clubschiffe fahren: Mai bzw. Juni im Mittelmeer oder nach Skandinavien
- auf den Clubschiffen: tagsüber viele Freizeitangebote, abends Partys und Shows
- außerdem spezielle Angebote für Leute, die allein reisen: preiswerte Einzelkabinen, Veranstaltungen für Alleinreisende
- bei diesem Anbieter: Speisen und alkoholfreie Getränke inklusive
- Sie hoffen, dass der Kundin das Angebot gefällt, und laden sie zu einem persönlichen Termin im Reisebüro ein.

→ ✉ a.kleinert@xpu.de   _ ☐ ✕

Sehr geehrte Frau Kleinert,

vielen Dank für Ihre Anfrage. Wir haben genau das richtige Angebot für Sie: …

---

4 Präsentieren › KB: B

Sie präsentieren Ihren Kollegen Ideen für die neue Website des Reisebüros. Schreiben Sie Sätze.

1. heute – ich – zur neuen Webseite – euch – meine Ideen – präsentieren – möchte-

   Heute möchte ich euch meine Ideen zur neuen Webseite präsentieren.

2. einen Vorschlag – ich – entwickelt haben – , – die aktuellen Probleme – wir – mit dem – lösen – können

   Ich habe einen Vorschlag entwickelt, mit dem ...

3. zunächst – die Probleme – ich – erläutern – möchte- – , – im Moment – wir – die – mit der Webseite – haben

4. anschließend – ich – zeigen – , – diese Probleme – wie – wir – mit einer App – lösen – können

5. dann – die App – ich – genauer – vorstellen

6. zum Schluss – euch – ich – über die Kosten – informieren

5 Beratungsgespräch im Reisebüro › KB: C

a Ergänzen Sie die passenden Verben.

beantworten | ~~begrüßen~~ | buchen | fragen | empfehlen | zusammenfassen

1. die Kunden freundlich *begrüßen*
2. nach Kundenwünschen _____
3. die wichtigsten Informationen _____

4. ein Angebot _____
5. Fragen zum Angebot _____
6. eine Reise _____

b Formulieren Sie Sätze, die Sie im Beratungsgespräch verwenden können.

1. ich – was – für Sie – tun – können – ?

   Was kann ich für Sie tun?

2. Ihren Urlaub – wie – Sie – gern – verbringen – ?

3. Ihre Preisvorstellung – denn – wie – aussehen – ?

4. richtig – ich – das – verstehen – ?

5. noch einmal – alles – ich – festhalten – :

6. ich – denken – , – ein passendes Angebot – dass – für Sie – wir – haben – .

7. zu Ihren Vorstellungen – das Angebot – passen – ?

Was kann ich
für Sie tun?

6 Kundentypen › KB: C

Ergänzen Sie das passende Adjektiv.

[analytisch | emotional | kritisch | spontan | ~~unentschieden~~

1. Jemand, der sich schwer entscheiden kann, ist *unentschieden* _____ .

2. Jemand, der sich von Gefühlen leiten lässt, ist _____ .

3. Jemand, der gern Informationen sammelt und einen Plan hat, ist _____ .

4. Jemand, der nicht lange überlegt und sich schnell entscheidet, ist _____ .

5. Jemand, der zuerst die Probleme und negativen Punkte sieht, ist _____ .

7 Die Reisebranche › KB: D

Verbinden Sie die Satzteile.

1. Franchise-Ketten erlauben
2. Stammkunden kaufen
3. In selbstständigen Einzelbüros wird
4. Unabhängige Reisebüros gehören nicht
5. Reisebürokooperationen unterstützen
6. Nachhaltiges Reisen ist

A. meistens neutral beraten.
B. umweltfreundlich und langfristig positiv für das Reiseland.
C. zu einem Reiseveranstalter oder einer Franchise-Kette.
D. oft im selben Geschäft.
E. ihre Mitglieder bei Einkauf, Marketing und Weiterbildung.
F. Einzelgeschäften die Nutzung eines Geschäftskonzeptes gegen eine Gebühr.

1. F
2. ____
3. ____
4. ____
5. ____
6. ____

8 Urlaubsausgaben und Reisedauer › KB: D

Ergänzen Sie die Redemittel in der Beschreibung der Schaubilder im Kursbuch 8D, Aufgabe 2.

[Das Schaubild links zeigt … | Auf dem Schaubild rechts sieht man … |
… sind damit die einzigen Länder … | ~~Die beiden Schaubilder liefern Informationen über …~~ |
Es könnte sein, dass … | … kann man deutlich sehen, dass … |
Wahrscheinlich gibt es einen Zusammenhang zwischen …

Urlaubsausgaben und Reisedauer des Haupturlaubs

[1] *Die beiden Schaubilder liefern Informationen über* Urlaubsausgaben und Reisedauer des

Haupturlaubs. [2] _____, wie hoch die Ausgaben für Urlaub

in verschiedenen Ländern sind. Im Ländervergleich [3] _____

die Deutschen mit durchschnittlich 1.138 US-Dollar pro Person das meiste Geld ausgeben. Deutschland

und Australien mit 1.096 US-Dollar [4] _____, in denen pro

Person mehr als 1.000 US-Dollar in Urlaub investiert werden. [5] _____

der Höhe des Einkommens und den Ausgaben für Urlaub. [6] _____,

wie lange der Urlaub von Reisenden aus Deutschland durchschnittlich dauert. Während Reisen im Inland und

ins europäische Ausland durchschnittlich 10,6 bzw. 12,7 Tage dauern, sind es bei Fernreisen 17,3 Tage.

[7] _____ die Deutschen entweder eine längere Fernreise oder

mehrere kurze Reisen im Inland machen.

Grammatik

1 Situationen mit unerwarteten Folgen › KB: A2

a Lesen Sie die Sätze und markieren Sie „trotzdem", „dennoch", „obwohl" und „zwar . . ., aber".

1. Das Reiseangebot im Internet wird immer größer, trotzdem wächst die Zahl der Reisebüros in Deutschland seit 2014 wieder.
2. Obwohl das Internet eine starke Konkurrenz ist, gibt es einen Trend zurück zum Reisebüro.
3. Zwar gibt es im Internet viele Reiseangebote, aber die Buchung ist teilweise schwierig.
4. Die Zahl der Reisebüros steigt wieder, dennoch stehen Reisebüros auch in Zukunft vor großen Problemen.

b Welche in 1a markierten Wörter leiten die Ausgangssituation ein, welche die unerwartete Folge?

Ausgangssituation	unerwartete Folge
zwar	aber

c Schauen Sie sich die in 1a markierten Wörter noch einmal an und ergänzen Sie die Regeln.

[obwohl | ~~zwar ..., aber~~ | Satzende | 2. Satz

1. Der zweiteilige Konnektor „_zwar ..., aber_____" verbindet zwei Hauptsätze.
2. „trotzdem" und „dennoch" stehen im _____.
3. „_____" leitet einen Nebensatz ein. In Nebensätzen steht das Verb am _____.

Ⓖ

d Lesen Sie die Sätze und markieren Sie „trotzdem", „dennoch" und „zwar . . ., aber".

1. a. Herr Seidel mag das Meer zwar sehr, aber er hat noch nie eine Kreuzfahrt gemacht.
   b. Zwar mag Herr Seidel das Meer sehr, eine Kreuzfahrt hat er aber noch nie gemacht.

2. a. Kreuzfahrten sind teuer. Trotzdem möchte Herr Seidel bald eine Reise mit einem Kreuzfahrtschiff machen.
   b. Kreuzfahrten sind teuer. Herr Seidel möchte trotzdem bald eine Reise mit einem Kreuzfahrtschiff machen.

3. a. Die Freunde von Herrn Seidel buchen ihre Reisen im Internet. Dennoch lädt er sie zum Aktionstag im Reisebüro ein.
   b. Die Freunde von Herrn Seidel buchen ihre Reisen im Internet. Er lädt sie dennoch zum Aktionstag im Reisebüro ein.

e Schauen Sie sich die in 1d markierten Wörter an und ergänzen Sie die Regeln.

[davor | ~~gleiche~~ | Satzanfang | Satzmitte

Ⓖ

1. „trotzdem" und „dennoch" haben die _gleiche_ Bedeutung und beziehen sich auf einen Satz _____.
2. „trotzdem" und „dennoch" können am Satzanfang, in der _____ und manchmal auch am Satzende stehen.
3. Bei Sätzen mit „zwar ..., aber" können „zwar" und „aber" am _____ und in der Satzmitte stehen. „aber" kann manchmal auch am Satzende stehen.

f **Verbinden Sie die Sätze mit den angegebenen Wörtern.**

1. Fabian reist viel. Er hat noch nie eine Pauschalreise gemacht.

   obwohl: *Obwohl Fabian viel reist, hat er noch nie eine Pauschalreise gemacht.*

   trotzdem: *Fabian reist viel, trotzdem hat er noch nie eine Pauschalreise gemacht.*

2. Man braucht Zeit für die Planung einer Individualreise. Die Mühe lohnt sich.

   zwar…, aber: _____

   dennoch: _____

3. Flüge nach Hawaii dauern sehr lange. Katja möchte bald nach Hawaii fliegen.

   trotzdem: _____

   obwohl: _____

4. Es war anstrengend, den Aktionstag vorzubereiten. Die Arbeit hat sich gelohnt.

   zwar…, aber: _____

   obwohl: _____

2 Die Präposition „trotz" › ÜB: A3

a **Formulieren Sie mit „trotz" + Gen. Achten Sie auch auf die Adjektivendungen.**

1. das schlechte Wetter   →   *trotz des schlechten Wetters*
2. viele Angebote   → _____
3. die schöne Reise   → _____
4. der angenehme Flug   → _____
5. das interessante Programm → _____
6. die lauten Gäste   → _____
7. gute Beratung   → _____
8. ein großes Problem   → _____

b **Lesen Sie zuerst den Tipp. Überlegen Sie dann, wo die Ausgangssituation in den Sätzen steht, und markieren Sie sie. Formulieren Sie anschließend die Sätze mit der Präposition „trotz" um.**

1. Obwohl es zahlreiche Angebote im Internet gibt, buchen wieder mehr Kunden ihre Reise im Reisebüro.

   Trotz zahlreicher Angebote im Internet buchen wieder mehr Kunden ihre Reise im Reisebüro.

2. Der Service ist im Reisebüro besser, trotzdem buchen manche lieber im Internet.

   Trotz des besseren Services im Reisebüro buchen manche lieber im Internet.

3. Obwohl die Kosten hoch sind, entscheiden sich immer mehr Menschen für eine Kreuzfahrt.

   _____

4. Es gibt viele Freizeitaktivitäten. Trotzdem finden manche Gäste die Reise langweilig.

   _____

5. Das Wetter war gut. Dennoch waren ein paar Kunden nach der Kreuzfahrt unzufrieden.

   _____

> **TIPP**
>
> „trotz" + Gen. drückt die Ausgangssituation aus, z. B. Trotz des hohen Preises machen sie eine Schiffsreise.

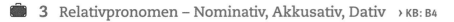

3 Relativpronomen – Nominativ, Akkusativ, Dativ › KB: B4

a Markieren Sie in den Sätzen die Relativpronomen. Auf welches Nomen
im Hauptsatz beziehen sie sich? Unterstreichen Sie das Nomen.

1. Der <u>Urlaub</u>, den ich gebucht habe, ist preisgünstig.

2. Zu den Reisezielen, die besonders beliebt sind, gehört Mallorca.

3. Der Freund, mit dem ich die Fernreise machen will, war schon überall auf der Welt.

4. Bei der Kreuzfahrt, die das Reisebüro anbietet, sind alle Speisen und Getränke inklusive.

5. Die Mitarbeiter des Reisebüros, das in der Hauptstraße ist, beraten besonders neutral.

6. Die Urlauber, denen der Stadtspaziergang zu anstrengend ist, können eine Stadtrundfahrt mit dem Bus machen.

7. Sie können sich das Angebot, das ich Ihnen zusammengestellt habe, noch einmal in Ruhe zu Hause ansehen.

b Schauen Sie sich die Relativpronomen in 3a an. Wovon hängen Genus (der, das, die), Numerus (Singular, Plural) und
Kasus (Nom., Akk., ...) ab? Ergänzen Sie die Regeln.

[Genus | Kasus | ~~Hauptsatz~~ | Numerus

1. Relativsätze sind Nebensätze. Sie beschreiben ein Nomen im _Hauptsatz_____ genauer.
2. Der _____ und der _____ des Relativpronomens
   richten sich nach diesem Nomen im Hauptsatz.
3. Der _____ richtet sich nach dem Verb bzw. der Präposition beim Verb
   im Relativsatz.

c Schreiben Sie die fehlenden Relativpronomen aus 3a
in die Tabelle und ergänzen Sie den Tipp rechts.

> **TIPP**
> Relativpronomen im Nom., Akk., Dat. = bestimmter Artike
> **Ausnahme:** _____ Plural.

Relativpronomen

	Maskulinum (M)	Neutrum (N)	Femininum (F)	Plural (M, N, F)
Nominativ	der		die	
Akkusativ	den			die
Dativ		dem	der	

d Welche Relativpronomen passen? Ergänzen Sie sie.

1. Das Land, in _das_____ ich am liebsten reise, ist Griechenland.

2. Die Familie, _____ wir im Urlaub kennengelernt haben, wohnt auch in München.

3. Die Freunde, mit _____ ich im Urlaub war, kenne ich schon seit der Schulzeit.

4. Der Bus, mit _____ wir gefahren sind, war sehr komfortabel.

5. Die Hotelzimmer, in _____ wir übernachtet haben, waren sehr klein.

6. Für Personen, _____ alleine reisen, gibt es spezielle Angebote.

7. Pauschalreisen, bei _____ alles inklusive ist, sind nichts für mich.

8. Der Kunde, _____ wir am Aktionstag so ausführlich beraten haben, hat schon zwei Reisen bei uns gebucht.

9. Die Präsentation, auf _____ die Kreuzfahrten vorgestellt wurden, fanden viele sehr interessant.

4 Relativpronomen bei Orts- und Richtungsangaben – wo, wohin, woher › KB: B4

a **Bilden Sie Sätze mit dem Relativpronomen „wo".**

1. Das Land, in dem Frau Laufer am liebsten Urlaub macht, ist Spanien.

   Das Land, wo Frau Laufer am liebsten Urlaub macht, ist Spanien.

2. Wie heißt noch mal der Berg, auf dem der hohe Aussichtsturm steht?

   _____

3. Die Schiffskabine, in der unsere Freunde übernachtet haben, war sehr eng.

   _____

4. Das Seefest in Biel, bei dem wir letztes Jahr waren, ist sehr schön.

   _____

5. Deutschland ist das Land, in dem die Deutschen am liebsten Urlaub machen.

   _____

6. Auf dem Platz, an dem das schöne Café liegt, werden jetzt Bäume gepflanzt.

   _____

7. Der Zeltplatz, auf dem wir dieses Jahr waren, hat eine sehr gute Ausstattung.

   _____

b **Markieren Sie die Ortsangaben in den Relativsätzen. Ergänzen Sie dann die Regel.** › ÜB: B1

1. a. Brasilien ist das Land, in das Jakub auswandern möchte.
   b. Brasilien ist das Land, wohin Jakub auswandern möchte.
2. a. Polen ist das Land, aus dem er kommt.
   b. Polen ist das Land, woher er kommt.

In Relativsätzen mit Richtungsangaben kann man statt der Präposition und dem Relativpronomen auch „_____" bzw. „_____" verwenden. Ⓖ

c **Bilden Sie Sätze mit den Relativpronomen „wohin" bzw. „woher".**

1. Die Region um Krakau, aus der Jakub kommt, ist sehr schön.

   Die Region um Krakau, woher Jakub kommt, ist sehr schön.

2. Griechenland ist ein Land, in das wir immer wieder gern fahren.

   _____

3. Pedro erzählt von der Stadt, aus der seine Familie kommt.

   _____

4. Im Hotel hat man uns viel von einem hübschen Dorf erzählt, zu dem wir dann auch gefahren sind.

   _____

5. Morgen besuche ich die Gärtnerei, von der die schönen Blumen kommen.

   _____

6. Das ist das Restaurant, in das wir immer wieder gern essen gehen.

   _____

Kapitel 8

5 Relativpronomen – Genitiv › KB: C2

a **Lesen Sie die Sätze und markieren Sie die Relativpronomen.**

1. Ein Kunde, dessen Vorstellungen total unklar sind, kann man nur schwer beraten.

2. Eine Kundin, deren Mann krank ist, möchte die Reise stornieren.

3. Urlauber, deren Erwartungen sehr hoch sind, sind oft unzufrieden.

4. Nur ein Reisebüro, dessen Mitarbeiter gut beraten, hat eine Chance gegen die Internet-Konkurrenz.

b **Ergänzen Sie die Tabelle mit den Relativpronomen im Genitiv aus 5a.**

	Relativpronomen			
	Maskulinum (M)	Neutrum (N)	Femininum (F)	Plural (M, N, F)
Genitiv	dessen			

c **Ergänzen Sie die passenden Relativpronomen im Genitiv.**

1. Eine Reise, deren _____ Preis sehr hoch ist, sollte möglichst gut zu den Wünschen der Kunden passen.

2. Reisebüros, _____ Mitarbeiter unabhängig beraten, sind bei Kunden besonders beliebt.

3. Das Reisebüro, _____ Mitarbeiter sich regelmäßig weiterbilden, ist sehr erfolgreich.

4. Die Kundin, _____ Eltern eine Kreuzfahrt machen wollen, war heute im Reisebüro.

5. Die Passagiere, _____ Kabinen ein Fenster haben, sind immer begeistert von der Aussicht.

6. Ein Lehrer, _____ Schüler dieses Jahr Abitur machen, fragt nach Abi-Reisen.

7. Kunden, _____ Vorstellungen sehr speziell sind, buchen oft im Reisebüro.

8. Ein Reiseangebot im Internet, _____ Preis unklar ist, sollte man nicht buchen.

d **Ergänzen Sie die passenden Relativpronomen im Nominativ, Akkusativ, Dativ oder Genitiv.**

1. ein Vortrag, der _____ gut gegliedert ist

2. eine Präsentation, _____ Struktur nicht klar ist

3. der Bericht, in _____ die Entwicklung analysiert wird

4. die Zuhörer, _____ dem Vortrag mit Interesse folgen

5. ein Vortrag, über _____ man diskutieren kann

6. Veranstalter, _____ Angebote sehr gut sind

7. eine Kollegin, auf _____ ich gern höre

8. das Problem, über _____ wir gesprochen haben

9. eine Idee, von _____ alle überzeugt sind

10. das Reisebüro, in _____ der Mitarbeiter früher gearbeitet hat

11. Kunden, mit _____ es oft Probleme gibt

12. ein Gast, _____ Ansprüche sehr hoch sind

6 Demonstrativpronomen › ÜB: C4

a Lesen Sie Andis Antwort an Paul. Achten Sie auf die markierten Pronomen und kreuzen Sie in der Regel an.

→ ✉ p.freese@xpu.de ___ □ ✕

Hallo Paul,

das gibt's ja nicht, den Anbieter IPP-Reisen kenne ich! Mit dem habe ich auch schon schlechte Erfahrungen gemacht. Ich habe online eine Pauschalreise nach Schweden gebucht. Nach einer Woche hatte ich noch keine Bestätigung und habe bei dem Reiseveranstalter angerufen. Ich habe mit drei Mitarbeitern telefoniert! Von denen wusste keiner Bescheid! Ich wollte die Reise dann bei dem dritten Mitarbeiter am Telefon buchen, aber dessen Antwort war nur: „Geht nicht." Ich glaube, IPP-Reisen ist keine gute Firma, deren Service ist wirklich schlecht!

Ich hatte ja noch Glück, denn bei mir sind keine Kosten entstanden. Aber bei dir! Das tut mir echt leid. Vielleicht können wir ja mal wieder zusammen verreisen?

LG, Andi

Demonstrativpronomen verweisen

a. □ auf eine Person, Sache oder Information.
b. □ nur auf Personen.

Ⓖ

b Ergänzen Sie die Tabelle mit den Demonstrativpronomen im Dativ und Genitiv aus 6a.

Demonstrativpronomen

	Maskulinum (M)	Neutrum (N)	Femininum (F)	Plural (M, N, F)
Nominativ	der	das	die	die
Akkusativ	den	das	die	die
Dativ		dem	der	
Genitiv		dessen		deren

c Vergleichen Sie die Tabelle in 6b mit den Tabellen in 3c und 5b. Ergänzen Sie dann die Regeln.

⌈ identisch mit den bestimmten Artikeln | identisch mit den Relativpronomen

Ⓖ

1. Die Formen der Demonstrativpronomen sind im Nominativ, Akkusativ und Dativ Singular
   _____ .

2. Die Formen im Dativ Plural und im Genitiv sind
   _____ .

d Ergänzen Sie die passenden Demonstrativpronomen im Dativ und Genitiv.

1. Hast du die Mitarbeiter im Hotel erreicht? – Ja ich habe gestern mit _denen_____ telefoniert.

2. MAS-Reisen, kennst du die Firma? – Ja, mit _____ habe ich gute Erfahrungen gemacht.
   _____ Reisen sind sehr gut organisiert.

3. Die Mitarbeiterinnen im Reisebüro sind sehr kompetent, _____ braucht man seine Wünsche nicht lange zu erklären.

4. Der Reiseveranstalter „Sonne-Reisen" ist neu auf dem Markt. – Ach, von _____ hab ich noch nie was gehört. Wie sind denn _____ Preise?

Wortschatz und Schreiben

1 Aufgabenbereiche: Nomen und Verben › KB: A

a Ordnen Sie den Verben ein passendes Nomen zu. Manchmal passen zwei oder mehr. Überprüfen Sie dann Ihre Lösungen.

[Absatzgebiet | Angebot | Anfrage | Auftrag | Kalkulation | ~~Lieferantenstamm~~ | Produkt | Wettbewerb

1. ausbauen → *Lieferantenstamm*   5. kalkulieren → _____

2. analysieren → _____   6. erstellen → _____

3. vermarkten → _____   7. erschließen → _____

4. erteilen → _____   8. bearbeiten → _____

b Formulieren Sie Sätze. Ersetzen Sie dabei die markierten Ausdrücke durch ein Verb aus 1a.

1. den Lieferantenstamm – zu vergrößern

   Es gehört zu Ihren Aufgaben, *den Lieferantenstamm auszubauen.*

2. unserem Unternehmen – neue Absatzgebiete – zu eröffnen

   Es liegt in Ihrer Verantwortung, _____

3. Kunststoffprodukte – international – auf den Markt zu bringen

   Ein Schwerpunkt Ihrer Tätigkeit ist, _____

4. unseren Logistikpartnern – Aufträge – zu geben

   Sie sind dafür zuständig, _____

5. Kalkulationen – Angebote – und – zu machen

   Ihr Aufgabengebiet umfasst, _____

2 Wortbildung: Adjektive aus Nomen › KB: A, B

a Wie heißen die Nomen zu den Adjektiven? Notieren Sie sie mit Artikel. Benutzen Sie ggf. ein Wörterbuch.

1. vielfältig → *die Vielfalt*   7. fachlich → _____

2. wirtschaftlich → _____   8. muttersprachlich → _____

3. staatlich → _____   9. fleißig → _____

4. kulturell → _____   10. erfolgreich → _____

5. national → _____   11. kaufmännisch → _____

6. beruflich → _____   12. produktiv → _____

b Schauen Sie sich die Adjektive in 2a an. Ergänzen Sie dann die Regel.

G

Mit Nachsilben kann man aus _____ Adjektive bilden: z. B. „-ig", „-lich", „-isch", „-reich".
Fremdwörter bilden Adjektive meist mit anderen Nachsilben: z. B. Kultur → kulturell, Produkt → produktiv,
Nation → national.

3 Wortbildung: Adjektive aus Nomen + Adjektiv › KB: A, B

Bilden Sie aus den Nomen und Adjektiven zusammengesetzte Adjektive. Es sind zwei oder mehr Adjektive möglich.

~~Ergebnis~~ | Familie | Konflikt | Leistung | Team | Umwelt | Verhandlung | Ziel

1. -bereit: _____
2. -fähig: _____
3. -freundlich: _____
4. -orientiert: *ergebnisorientiert,* _____
5. -sicher: _____

4 Wortbildung: Nomen aus Adjektiven und Partizipien › KB: B

a Bilden Sie Nomen und ordnen Sie sie in die Tabelle ein. Überprüfen Sie dann Ihre Lösungen.

~~belastbar~~ | effektiv | flexibel | kompetent | leistungsbereit | loyal | zielorientiert | zuverlässig

Nomen auf „-keit"	Nomen auf „-schaft"	Nomen auf „-ung"
1. *Belastbarkeit*	4. _____	7. _____
2. _____		

Nomen auf „-enz"	Nomen auf „-ität"	Nomen auf „-ilität"
3. _____	5. _____	8. _____
	6. _____	

b Markieren Sie zuerst die Endsilben der Adjektive und vergleichen Sie sie mit den markierten Endsilben der Adjektive in 4a. Schauen Sie sich dann die Nomen in 4a an und bilden Sie die passenden Nomen. Notieren Sie auch die Artikel.

1. kompatibel → *die Kompatibilität* _____
2. konfliktbereit → _____
3. automatisiert → _____
4. effizient → _____
5. erreichbar → _____

6. intensiv → _____
7. globalisiert → _____
8. neutral → _____
9. teamfähig → _____
10. bereit → _____

5 Wortbildung: Zusammengesetzte Nomen › KB: B

Bilden Sie zusammengesetzte Nomen und ergänzen Sie sie. Achten Sie dabei auch auf den Verbindungsbuchstaben „s".

Industrie | Betrieb | Fach | Beruf | ~~Schule~~ | weiter

~~Abschluss~~ | Kaufmann | Berater | Bildung | Erfahrung | Wirt

1. Ich habe meinen *Schulabschluss* _____ nach dem zehnten Schuljahr erworben.
2. Danach habe ich eine Ausbildung zum _____ begonnen.
3. Meine erste _____ habe ich bei der ABS GmbH in Bonn gesammelt.
4. Anschließend habe ich die Prüfung „_____ im Vertrieb (IHK)" abgelegt.
5. An der Hamburger Akademie habe ich das Diplom „Staatlich geprüfter _____" erworben.
6. Bei Bewerbungen habe ich festgestellt: _____ ist nützlich.

6 Die Selbstpräsentation › KB: C

a Formulieren Sie Sätze mit den Redemitteln und ergänzen Sie eigene Informationen.

1. zu Beginn – ich – meiner Präsentation – Ihnen – kurz – sich vorstellen – möcht – : ...

   Zu Beginn meiner Präsentation möchte ich mich Ihnen kurz vorstellen: Mein Name ist ...

2. ich – die Stelle – sich bewerben auf (Perfekt) – , – weil ...

   _____

3. es – mir – wichtig sein (Präteritum) – , – sich weiterzubilden – , – daher ...

   _____

4. derzeit – der ...-abteilung – eines Industrieunternehmens – tätig sein in

   _____

5. ich – überzeugt sein – , – die Stelle – dass – ich – geeignet sein für – , – weil ...

   _____

6. in Ihrer Ausschreibung – Sie – fordern –, – dass ...

   _____

7. nach meiner Ausbildung – zum / zur ... – ich bei ... – arbeiten (Perfekt) – .

   _____

8. nun – ich – letzten Teil – meines kleinen Vortrags – kommen zu – : ...

   _____

b Lesen Sie den Text aus der Selbstpräsentation rechts und ergänzen Sie den tabellarischen Lebenslauf links.

Berufserfahrung

Arbeitgeber seit 2016: [1] _____

Zuständigkeiten: [2] _____

Weiterbildung 2015: [3] _____

Arbeitgeber 01/2014–07/2015: [4] _____

Ausbildung: [5] *Tourismuskauffrau*

Bianca Schuller, 23 Jahre

„Ich arbeite in der Reisebranche. Nach meiner
Ausbildung zur Tourismus-
kauffrau habe ich von Januar
2014 bis Juli 2015 bei „Kaufmann Reisen" in Heidelberg
gearbeitet. Danach habe ich
mich zur Fachwirtin für Tourismus (IHK) weiter-
gebildet (Abschluss 2015). Seit Januar 2016
bin ich bei dem Reiseveranstalter FUNTOURS
für die Kostenkalkulation der Reiseangebote
zuständig."

c Schreiben Sie den Anfang der Selbstpräsentation von Bianca Schuller oder einer eigenen Selbstpräsentation. Orientieren Sie sich dabei am tabellarischen Lebenslauf in 6b. Die Redemittel unten und in 6a helfen.

Mein Name ist ... | Nach meiner Ausbildung zu ... habe ich bei ... gearbeitet. |
Im Jahr ... habe ich die Prüfung zum / zur ... abgelegt. | Derzeit ... | Dort bin ich für ... zuständig. |

Guten Morgen, meine Damen und Herren. Zu Beginn meiner Präsentation möchte ich mich Ihnen kurz

vorstellen: Mein Name ist ...

7 Wie war die Selbstpräsentation? › KB: C

Lesen Sie das Feedback von Phongs Ehefrau und ergänzen Sie es.

> ausführlich | frei | sachlich | Aufgaben | Begeisterung | Körpersprache | Lebenslauf | Selbstpräsentation | Soft Skills | Stellenausschreibung | Zeit

Also, deine [1] _Selbstpräsentation_ hat mir wirklich gut gefallen: Schön ist, dass du fast immer

[2] _____ sprichst und nur noch ganz selten auf deine Notizen schaust. Ich finde, über deine

Ausbildung berichtest du etwas zu [3] _____. Das solltest du kürzen. Sie kennen die einzelnen

Stationen ja schon aus deinem [4] _____. Dafür war der Teil, in dem du über deine

[5] _____ in der Marketingabteilung von Feddersen sprichst, viel besser. Das trägst du sehr

lebendig vor. Man bekommt einen guten Eindruck von deiner Arbeit dort, auch deshalb, weil du die Beispiele für

deine [6] _____ sehr passend ausgewählt hast. Aber wenn du deine Erfolge aufzählst, solltest

du mehr darauf achten, dass sie zu der [7] _____ passen. Insgesamt ist deine Präsentation viel

besser als das letzte Mal, aber manchmal bleibst du immer noch zu [8] _____. Da kannst du

noch etwas mehr [9] _____ für deine Arbeit zeigen. Deine [10] _____

sieht sehr natürlich aus. Daran brauchst du nichts zu ändern. Nur ein Ratschlag noch: Halte bitte die

[11] _____ noch besser ein, sprich nicht länger als vier Minuten. Dann ist deine Präsentation perfekt!

8 Im Vorstellungsgespräch › KB: C

Ergänzen Sie die Fragen und Aussagen in der passenden Form.

> Eignung | Erfolg | Profil | Schwerpunkt | Station | Werdegang

1. Würden Sie uns bitte etwas zu Ihrem beruflichen _Werdegang_ erzählen?
2. Welche _____ auf Ihrem beruflichen Weg war für Sie die wichtigste?
3. Sprechen wir nun kurz über Ihre fachliche _____: …
4. Was waren die _____ Ihrer bisherigen Tätigkeit?
5. Was sind für Sie bisher die größten _____ in Ihrer Berufstätigkeit?
6. Mit Ihrem _____ passen Sie gut in unsere Abteilung.

9 So stimmt der Ausdruck! › KB: C

Welches Verb passt zum Nomen: a, b oder c? Kreuzen Sie an.

	a.	b.	c.
1. auf eine Stelle	☒ sich bewerben	☐ ausschreiben	☐ nehmen
2. auf das Wichtigste	☐ beschreiben	☐ nennen	☐ sich konzentrieren
3. Kenntnisse	☐ lernen	☐ erhalten	☐ erwerben
4. Interesse	☐ beabsichtigen	☐ wecken	☐ beeindrucken
5. Engagement	☐ zeigen	☐ leben	☐ bringen
6. einen Ratschlag	☐ folgen	☐ befolgen	☐ mitteilen
7. ein Beispiel	☐ nennen	☐ halten	☐ reden
8. auf die Körpersprache	☐ sprechen	☐ achten	☐ beachten
9. Verhandlungen	☐ führen	☐ machen	☐ ausführen
10. eine Tätigkeit	☐ halten	☐ üben	☐ ausüben

Grammatik

1 Einmal oder jedes Mal in der Gegenwart? › KB: B2

Schreiben Sie Nebensätze mit „wenn". Welche Sätze beschreiben eine Handlung, die einmal geschieht, welche eine Handlung, die jedes Mal geschieht? Notieren Sie.

1. ich – am 11. Mai – nach Hamburg – kommen

   Wir besprechen das am besten, *wenn ich am 11. Mai nach Hamburg komme.*_____

2. ein wichtiger Kunde – bei uns – zu Gast – sein

   _____, organisieren wir für ihn eine Werksbesichtigung.

3. Sie – im Frühjahr – die Hannover Messe – besuchen

   Hätten Sie Zeit für ein kurzes Meeting, _____?

4. Sie – ein Kundengespräch – führen

   Machen Sie sich beim Gespräch Notizen, _____.

Einmal: Sätze *1, ...*_____   Jedes Mal: Sätze _____

G

2 Einmal oder jedes Mal in der Vergangenheit? › KB: B2

a Lesen Sie die Sätze und markieren Sie „wenn" und „als". Kreuzen Sie dann in den Regeln an.

1. Wenn Emilia zum Arbeiten in Paris war, wohnte sie immer bei denselben Freunden.
2. Als Feddersen die Stelle im Controlling neu besetzte, gab es viele Bewerbungen.
3. Wenn Phong ein Vorstellungsgespräch hatte, war er immer sehr aufgeregt.
4. Er bekam die Zusage, als das Gespräch zu Ende war.

G

1. Nebensätze mit „als" in der Vergangenheit zeigen, dass die Handlung, über die berichtet wird,
   a. ☐ einmal geschehen ist.   b. ☐ sich in der Vergangenheit jedes Mal wiederholt hat.
2. Nebensätze mit „wenn" in der Vergangenheit zeigen, dass die Handlung, über die berichtet wird,
   a. ☐ einmal geschehen ist.   b. ☐ sich in der Vergangenheit jedes Mal wiederholt hat.

b Phongs Bericht – Formulieren Sie Sätze mit „als" oder „wenn". Beginnen Sie immer mit dem Nebensatz.

1. ich – bei Feddersen – ankommen – , – mich – die Personalchefin – empfangen

   Als ich bei Feddersen ankam, empfing mich die Personalchefin.

2. ich – meiner Präsentation – beginnen mit – wollen – , – das Smartphone – der Assistentin – klingeln

   _____

3. meine Antwort – der Personalchefin – nicht ganz klar – sein – , – sie – immer – nachfragen

   _____

4. sie – mir – eine Tätigkeit – in Asien – anbieten – , – ich – nicht lange – überlegen – müssen

   _____

5. sie – sehr persönliche Fragen – stellen – , – ich – jedes Mal – nur indirekt – antworten

   _____

3 Was vorher passierte – Vorzeitigkeit im Nebensatz › KB: B2

a Lesen Sie die Sätze. Welcher Satz ist vorzeitig? Markieren Sie das Plusquamperfekt. › K6: G3, 4

1. Der Name „Eich" wurde in „Akro-Plastic" geändert. Feddersen hatte den Hersteller gekauft.
2. Die Kunststoffproduktion konnte gesteigert werden. Der Hersteller hatte den Standort ausgebaut.
3. Feddersen hatte den Markt in China erschlossen. Die Akro-Plastic GmbH eröffnete dort eine Fertigung.
4. Die Produktion war zu klein geworden. Das Unternehmen zog 2010 in eine neue Fertigungshalle.

b Verbinden Sie die Sätze in 3a mit „nachdem". Überprüfen Sie dann Ihre Lösungen. › K6: G3, 4

1. _Der Name „Eich" wurde in „Akro-Plastic" geändert, nachdem Feddersen den Hersteller gekauft hatte._
2. _____
3. _____
4. _____

c Formulieren Sie die Sätze in 3c neu. Beginnen Sie immer mit „als".

1. _Als Feddersen den Hersteller gekauft hatte, wurde der Name „Eich" in „Akro-Plastic" geändert._
2. _____
3. _____
4. _____

d Die Personalchefin ergänzt die Informationen. Was ist richtig: a oder b? Kreuzen Sie an.

1. Nachdem wir den Markt analysiert haben,
   a. ☒ produzieren wir jetzt auch in Bulgarien.
   b. ☐ haben wir jetzt auch in Bulgarien produziert.

2. Wir werden bald auch in Brasilien fertigen,
   a. ☐ nachdem wir viele Anfragen von dort bekommen.
   b. ☐ nachdem wir viele Anfragen von dort bekommen haben.

4 Änderungen im Personalbogen › KB: B2

a Wann muss der Personalbogen geändert werden? Formulieren Sie Nebensätze mit „wenn" im Perfekt.

Teilen Sie uns bitte <u>unverzüglich</u> mit,

1. _wenn Sie die Krankenkasse gewechselt haben_ _____. (die Krankenkasse wechseln)
2. _____. (ein Kind bekommen)
3. _____. (an einen anderen Ort umziehen)
4. _____. (eine weitere Beschäftigung finden)
5. _____. (Ihr Familienstand sich ändern)

b Betrachten Sie die Sätze in 3b, 3c, 3d und 4a noch einmal und ergänzen Sie die Regeln.

1. **Beide Handlungen in der Vergangenheit** – die Handlung im Nebensatz liegt **vor** der Handlung im Hauptsatz:

Nebensatz	Hauptsatz
„nachdem" / „als" + _____	Präteritum, Perfekt

2. **Handlung im Hauptsatz in der Gegenwart oder Zukunft** – die Handlung im Nebensatz liegt **vor** der Handlung im Hauptsatz:

Nebensatz	Hauptsatz
„nachdem" / „wenn" + _____	Präsens, Futur

c Gleichzeitiges oder vorzeitiges „wenn"? Ergänzen Sie die Verben in der richtigen Zeitform.

1. Wenn ein Mitarbeiter das Unternehmen *verlässt* _____ (verlassen), feiert man den Ausstand.

2. Können Sie mir kurz antworten, wenn Sie die E-Mail *erhalten haben* _____ (erhalten).

3. Frau Gerdes vertritt mich, wenn ich _____ (auf Dienstreise sein).

4. Wenn du den Lebenslauf _____ (schreiben), kannst du ihn mir schicken.

5. Sind Sie noch im Büro, wenn das Paket _____ (ankommen)?

6. Wir melden uns bei Ihnen, wenn wir das Angebot _____ (prüfen).

5 Was nachher passiert(e) – Nachzeitigkeit im Nebensatz › KB: B2

a Schreiben Sie Sätze mit „bevor". Verwenden Sie dabei die Zeitform in Klammern.

1. Jochen Bertram – Geschäftsführer – werden – , – er – den Bereich Finanzen – leiten – . (Präteritum)

   Bevor Jochen Bertram Geschäftsführer wurde, leitete er den Bereich Finanzen.

2. ich – Ihnen – zusagen – , – ich – ein wenig Zeit – zum Überlegen – brauchen – . (Präsens)

   _____

3. Sie – die Bewerbung – auf Fehler – prüfen – , – Sie – sie – abschicken – ? (Perfekt)

   _____

4. der Personalchef – und – der Abteilungsleiter – eine Entscheidung – treffen – , – sie – lange – die Bewerber – diskutieren über – . (Präteritum)

   _____

b Lesen Sie die Sätze in 5a noch einmal und kreuzen Sie in den Regeln an.

(G)

1. In Nebensätzen mit „bevor" findet die Handlung   a. ☐ vor   b. ☐ nach   der Handlung im Hauptsatz statt.
2. Im Haupt- und im Nebensatz verwendet man meist   a. ☐ die gleichen   b. ☐ verschiedene   Zeitformen.

6 Was zur gleichen Zeit passiert(e) – Nebensätze mit „während" › KB: B2

Verbinden Sie die Sätze mit „während".

1. Sie warten. Sie können den Fragebogen ausfüllen.

   Während Sie warten, können Sie den Fragebogen ausfüllen.

2. Sie erhalten mehrere Coachings. Sie nehmen an dem Traineeprogramm teil.

   Sie erhalten mehrere Coachings, während Sie an dem Traineeprogramm teilnehmen.

3. Sie sind für uns im Ausland. Wir übernehmen alle Flugkosten für Besuche im Heimatland.

   _____

4. Ich habe mehrere Dienstreisen nach Dänemark gemacht. Ich war für die ABS GmbH tätig.

   _____

5. Schalten Sie den Computer nicht aus! Die Software wird installiert.

   _____

7 Emilias Lebenslauf › ÜB: B4

a **Lesen Sie die Sätze aus Emilias Selbstpräsentation. Was passt: a oder b? Kreuzen Sie an.**

1. a. ☐ Bevor   b. ☒ Als   ich mein Abitur gemacht hatte, begann ich mit einem BWL-Studium.
2. a. ☐ Wenn   b. ☐ Bevor   ich Semesterferien hatte, sammelte ich Erfahrungen in einer Bank.
3. Ich absolvierte ein Auslandssemester,   a. ☐ bevor   b. ☐ nachdem   ich das Masterstudium aufnahm.
4. Ich belegte Sprachkurse in Business English,   a. ☐ nachdem   b. ☐ während   ich in Kanada studierte.
5. a. ☐ Nachdem   b. ☐ Bevor   ich den Master erworben hatte, begann ich mit einem Fernstudium.

b **Und wie war es wirklich? Betrachten Sie den Lebenslauf und ergänzen Sie rechts die passenden Präpositionen.**

Berufserfahrung
– 2008 – 2010 Praktika bei BNP, Paris
Weiter-/Fortbildung
– 2014 Projektmanagement, Fernuni Hagen
Ausbildung
04/2011 – 07/2013 Master in Management
08/2010 – 02/2011 Auslandssemester in
Kanada, Zertifikat in Business English
10/2007 – 06/2010 BWL-Studium (Bachelor)
2007 Abitur

[~~nach~~ | nach | vor | während | während

1. BWL-Studium *nach* _____ dem Abitur
2. Arbeitsaufenthalte in Paris _____ der Ferien
3. Auslandssemester _____ dem Master-Studium
4. Sprachkurs _____ des Kanada-Aufenthalts
5. Fernstudium _____ dem Masterabschluss

8 Vorzeitig, nachzeitig, gleichzeitig – Nebensätze und Präpositionen › ÜB: B4

a **Emilia erzählt von ihrer Schwester Johanna. Lesen Sie die Sätze und verbinden Sie sie.**

1. Johanna hatte das Abitur gemacht. Sie wusste nicht, welchen Beruf sie wählen wollte. (als)
   Als Johanna das Abitur gemacht hatte, wusste sie nicht, welchen Beruf sie wählen wollte.

2. Sie hatte ein Praktikum in einem Labor gemacht. Ihre Entscheidung war klar: Laborassistentin. (nachdem)
   _____

3. Sie recherchierte im Internet. Sie fand Informationen zum dualen Studium in Kaiserslautern. (während)
   _____

4. Sie hatte ihre Ausbildung abgeschlossen. Sie suchte sich eine Stelle in einem Krankenhaus. (als)
   _____

5. Denn sie will Berufserfahrung sammeln. Sie beginnt mit dem Masterstudium „Biowissenschaften". (bevor)
   _____

b **Schauen Sie sich die Sätze in 8a noch einmal an und ergänzen Sie die Tabelle.**

Handlung im Nebensatz	vor Hauptsatz	nach Hauptsatz	gleichzeitig
Beispiel: Satz Nr.	1, …		
Konnektor im Nebensatz	als, …		

c **Lesen Sie die Angaben. Zu welchem Satz aus 8a gehören Sie? Notieren Sie.**

1. vor dem Masterstudium   Satz: _____
2. nach dem Abschluss der Ausbildung   Satz: _____
3. nach einem Praktikum   Satz: _____
4. während ihrer Recherche   Satz: _____
5. nach dem Abitur   Satz: _1_

d **Schreiben Sie die Kurzform der Sätze in 8a. Beginnen Sie mit den Angaben in 8c.**

1. *Nach dem Abitur wusste Johanna nicht, welchen Beruf sie wählen wollte.*

2. _____

3. _____

4. _____

5. _____

9 Zeitangaben und Zeitsätze › KB: B2

Welche Tipps bekommt Phong von der Bewerbungsberaterin? Schreiben Sie Sätze.

TIPP

← Nomen: vor,
   Verb: bevor
→ Nomen: nach,
   Verb: nachdem
= Nomen / Verb: während

1. Sie – Ihre Präsentation – mehrmals – (← der Termin) – üben

   Üben Sie Ihre Präsentation mehrmals vor dem Termin.

2. Sie – (←) losfahren – , – Sie – Ihre Anreise – sorgfältig – planen – sollten

   Bevor Sie losfahren, sollten Sie Ihre Anreise sorgfältig planen.

3. Sie – (→ die Begrüßung) – ein bisschen Small Talk – machen

   _____

4. Sie – (→) sich vorstellen – , – Sie – Ihre aktuelle berufliche Situation – beschreiben – können

   _____

5. Sie – daran – denken – , – die Zuhörer – (= der Vortrag) – anzuschauen

   _____

6. Sie – versuchen – , – Sie (=) sprechen – , – Ihre Körpersprache – zu kontrollieren

   _____

7. Sie – die gute Atmosphäre – sich bedanken für – , – Sie (←) sich verabschieden

   _____

10 Ein kompliziertes Verfahren › KB: B2

Lesen Sie den Bericht und ergänzen Sie die fehlenden Wörter.

als | bevor | danach | nach | ~~nachdem~~ | vor | während | ~~wenn~~

[1] *Wenn* große Unternehmen eine Stelle besetzen, dann wählen sie oft ein komplizierteres Verfahren als kleine Betriebe. Hier das Beispiel einer Bewerberin: [2] *Nachdem* ich mich online beworben hatte, wurde ich zu einem Onlinetest eingeladen. [3] _____ dem Absenden der Antworten dauerte es zwei Wochen, dann bekam ich die Ergebnisse. Kurz [4] _____ erhielt ich die Einladung zu einem Assessment-Center. Das war neu für mich, denn [5] _____ ich mich das letzte Mal beworben habe, hat es nur ein Gespräch gegeben. Im Assessment-Center läuft alles etwas anders: [6] _____ man dort zu einem Vorstellungsgespräch gebeten wird, gibt es Aufgaben und Diskussionen mit den anderen Bewerbern. Natürlich war ich [7] _____ jeder Aufgabe sehr nervös. Aber insgesamt war die Atmosphäre [8] _____ der unterschiedlichen Phasen sehr angenehm. Zum Glück ist alles sehr gut gelaufen und ich erhielt die Zusage noch an demselben Tag.

11 Das Futur › KB: D2

a Notieren Sie die Formen von „werden".

ich	du	er/sie/es	wir	ihr	sie	Sie (Sg. + Pl.)
werde						

b Ergänzen Sie die Kurzdialoge mit den Verben im Futur.

leiten | ~~machen~~ | schaffen | sehen | verlassen | zusenden

1. ▸ Was sind Ihre Pläne nach dem Studium?
   ▸ Ich bin noch nicht sicher. Vielleicht *werde* ich mich selbstständig *machen* .

2. ▸ Ich habe gelesen, dass du die Abteilung ab Januar _____ _____ . Glückwunsch!
   ▸ Vielen Dank. Ich freue mich auf die Herausforderung.

3. ▸ Wann _____ Sie mir den Monatsbericht _____ ?
   ▸ Er ist fast fertig. Sie bekommen ihn morgen.

4. ▸ Der Zeitplan ist viel zu eng. Bis zum Monatsende _____ wir das nicht _____ .
   ▸ Hoffen wir mal, dass der Chef das auch so _____ _____ .

5. ▸ Stimmt es, dass ihr Hamburg _____ _____ .
   ▸ Ja, ich habe mich auf eine Stelle in Berlin beworben. Aber noch ist alles offen.

12 Wie sehen die Prognosen aus?

Formulieren Sie Fragen im Futur.

Was wird die Zukunft bringen?

1. wir – im Wettbewerb – unseren Platz – halten – können – ?
   Werden wir unseren Platz im Wettbewerb halten können?

2. wie – den Herausforderungen – wir – der Zukunft – umgehen mit – ?
   _____

3. wir – unserer Kunden – die Erwartungen – auch in Zukunft – erfüllen – können – ?
   _____

4. wie lange – Abnehmer – unsere Produkte – finden – ?
   _____

5. die Qualität – weiter – unserer Erzeugnisse – steigen – ?
   _____

6. wir – neue Marktanteile – unseren Entwicklungen – gewinnen mit – ?
   _____

7. die nächste Generation – erfolgreich – das Unternehmen – weiterführen – ?
   _____

8. wie lange – wir – Erfolg – mit unserem Geschäftsmodell – haben – ?
   _____

Wortschatz und Schreiben

1 Stellenanzeigen › KB: A

a Formulieren Sie Sätze für eine Stellenanzeige.

1. wir – Ihnen – ein abwechslungsreiches Aufgabengebiet – ein attraktives Gehalt – und – bieten

   Wir bieten Ihnen ein abwechslungsreiches Aufgabengebiet und ein attraktives Gehalt.

2. wir – einen Kundenberater / eine Kundenberaterin – suchen

   _____

3. Sie – eine abgeschlossene Berufsausbildung – als Reisekaufmann / Reisekauffrau – haben

   _____

4. Sie – unsere Kunden – über aktuelle Angebote – informieren – und – beraten – und – Reisebuchungen – erfassen

   _____

5. wir – verhandlungssicheres Englisch – und – sehr gute Kenntnisse – in EDV – voraussetzen

   _____

6. der freundlichen Umgang – mit unseren Kunden – Sie – selbstverständlich sein für

   _____

7. Sie – hohe Flexibilität – verfügen über – und – selbstständig – arbeiten

   _____

8. bitte – Sie – Ihre Bewerbungsunterlagen – per E-Mail – an Herrn / Frau … – senden

   _____

b Wie heißen die Elemente der Stellenanzeige? Ordnen Sie die Ausdrücke zu.

> für unsere Niederlassung in Chemnitz | baldmöglichst | hr@modern-reisen.com | ~~in Vollzeit~~ |
> Modern Reisen GmbH | Wir sind ein modernes Reisebüro. | Sie arbeiten selbstständig. | per E-Mail |
> einen Kundenberater / eine Kundenberaterin | Wir bieten ein attraktives Gehalt. |
> Sie haben eine abgeschlossene Berufsausbildung als … | Sie erfassen Reisebuchungen.

1. Arbeitszeitmodell → *in Vollzeit* _____
2. Stellenbezeichnung → _____
3. Art der Bewerbung → _____
4. Informationen über das Unternehmen → _____
5. Firmenname → _____
6. Einstellungstermin → _____
7. persönliche Kompetenzen → _____
8. Arbeitsort → _____
9. Tätigkeitsbeschreibung → _____
10. Leistungen des Unternehmens → _____
11. formale Qualifikationen → _____
12. Kontaktdaten → _____

2 Bewerbung: Der Lebenslauf › KB: B

Welche Informationen schreibt man in welchen Teil des Lebenslaufs? Notieren Sie.

~~13.04.1984 in Kaiserslautern~~ | ~~Markt & Chance GmbH Köln, Marketingassistent~~ | Englisch C1 | Tennis |
Liverpool Language School: Business English Training Course Telefonmarketing | Claus Christiansen |
Universität Mannheim, Studium der Betriebswirtschaftslehre, Abschluss: B.Sc. | geschieden, zwei Kinder |
Benzstraße 117, 67346 Speyer | Französisch B2 | Great Marketing Agency Manchester, Praktikum |
gute Kenntnisse in MS Office | Theater | Thomas-Mann-Gymnasium in Neustadt, Abschluss: Abitur |
Sport und Spiel Agentur Speyer, Marketingleiter | c.christiansen@xpu.com | 0170 / 7777111 |
Universität Mannheim, Masterstudium in Management, Abschluss: Master in Management, M.Sc.

Lebenslauf

Persönliche Angaben

Name _____

Adresse _____

Mobil _____

E-Mail _____

Geburtsdatum *13.04.1984 in Kaiserslautern*

Familienstand _____

Berufserfahrung

seit 01 / 2012 _____

09 / 2009–12 / 2011 *Markt & Chance GmbH Köln, Marketingassistent*

04 / 2009–07 / 2009 _____

Ausbildung und Studium

10 / 2006–02 / 2009 _____

10 / 2003–07 / 2006 _____

06 / 2003 _____

Fort- / Weiterbildung _____

EDV-Kenntnisse _____

Sprachkenntnisse _____

Interessen und Hobbys _____

3 Sprache im Bewerbungsprozess › KB: B, C

Bilden Sie Nomen aus den Verben und Adjektiven. Notieren Sie auch Artikel und Plural, wenn möglich.

1. aktiv → *die Aktivität, -en*
2. sich bewerben → *die Bewerbung, -en*
3. qualifizieren → _____
4. tätig → _____
5. reklamieren → _____
6. öffentlich → _____
7. voraussetzen → _____
8. selbstständig → _____

9. ruhig → _____
10. organisieren → _____
11. erfassen → _____
12. verwalten → _____
13. freundlich → _____
14. herausfordern → _____
15. abschließen → _____
16. kennen → _____

4 Anzeige und Bewerbungsanschreiben › KB: C

a Was passt zusammen? Bilden Sie Adjektive. Überprüfen Sie dann Ihre Lösungen.

1. abwechslungs-
2. bald-
3. umfang-
4. kunden-
5. wünschens-
6. belast-
7. idealer-

A. -bar
B. -möglichst
C. -orientiert
D. -weise
E. -reich
F. -reich
G. -wert

1. *E*
2. ⌞_⌟
3. ⌞_⌟
4. ⌞_⌟
5. ⌞_⌟
6. ⌞_⌟
7. ⌞_⌟

b Was passt? Ordnen Sie die Adjektive aus 4a und die folgenden Ausdrücke zu. Bei einem Punkt gibt es zwei Lösungen.

die Arbeitsweise | die Ausbildung | die Bewerbungsunterlagen | in Teilzeit | in Vollzeit | vertraut mit

1. Anschreiben, Lebenslauf, Diplom(e), Zeugnis(se) → *die Bewerbungsunterlagen*
2. wenn eine Tätigkeit viele verschiedene Aufgaben hat → *abwechslungsreich*
3. eine Arbeitsstelle mit ca. 20 bis 30 Stunden pro Woche → _____
4. die Kunden haben die höchste Priorität → _____
5. so schnell es geht → _____
6. die Art, wie man seine Aufgaben organisiert → _____
7. die Zeit, in der man alles für den späteren Beruf lernt → _____
8. es wäre schön, muss aber nicht unbedingt sein → _____
9. eine typische Arbeitsstelle mit ca. 40 Stunden pro Woche → _____
10. jemand ist sehr leistungsfähig und schafft viel in kurzer Zeit → _____
11. ein großes Aufgabengebiet → _____
12. wenn man etwas gut kennt, z. B. Computerprogramme → _____

c Schreiben Sie Sätze für ein Bewerbungsanschreiben. Überprüfen Sie dann Ihre Lösungen.

1. hiermit – ich – als Leiterin des internationalen Vertriebs – die Stelle – sich bewerben um

   Hiermit bewerbe ich mich um die Stelle als Leiterin des internationalen Vertriebs.

2. Sie – eine Mitarbeiterin – suchen – , – Ihr Team – die – in Freiburg – in Vollzeit – unterstützen

3. ich – in Tourismus – einen Hochschulabschluss – verfügen über – und – vier Jahre Berufserfahrung – im Hotelmanagement – haben

4. meinen Eigenschaften – und – Belastbarkeit – hohe Flexibilität – zählen zu

5. wie – meinen Zeugnissen – im Anhang – Sie – entnehmen können – , – ich – selbstständig – teamorientiert – und – arbeiten

6. moderne Arbeitsmethoden – im Kundenservice – aktuelle EDV-Systeme – und – sehr – mir – vertraut sein

7. ich – vor vier Monaten – aus persönlichen Gründen – nach Deutschland – umgezogen sein – und – auf Arbeitssuche – zurzeit – sein

8. für weitere Auskünfte – Ihnen – gern – ich – in einem persönlichen Gespräch – zur Verfügung stehen

d Lesen Sie die Personenbeschreibung und die Stellenanzeige. Formulieren Sie dann ein Anschreiben für eine Bewerbung. Die Sätze in 4c helfen.

Das sind Sie:
- persönliche Angaben: weiblich, verheiratet, keine Kinder, portugiesische Staatsangehörigkeit
- Ausbildung: Studium Krankenpflege an der Escola Superior de Enfermagem de Coimbra (Hochschulabschluss)
- Berufserfahrung: 3 Jahre Tätigkeit als Krankenpflegerin im Krankenhaus Coimbra, Portugal
- Sprachkenntnisse: Deutschkenntnisse B1
  Englischkenntnisse B2
- berufliche Situation: vor 2 Monaten aus persönlichen Gründen Umzug nach Deutschland; zurzeit auf Arbeitssuche

Stellenanzeige

Wir suchen für unsere Privatklinik in Bad Godesberg baldmöglichst

eine/n Krankenpfleger/in in Vollzeit.

PRIVATKLINIK WUNDER

Sie unterstützen unser Team bei allen Aufgaben der stationären Abteilung.
Sie übernehmen auch administrative Tätigkeiten und arbeiten mit unseren EDV-Systemen.

Sie verfügen über eine abgeschlossene Ausbildung als Krankenpfleger/in. Berufserfahrung ist wünschenswert, aber nicht absolut notwendig.
Außerdem verfügen Sie über hohe Motivation, Belastbarkeit und gute Kommunikationsfähigkeit.
Sie sind flexibel und arbeiten team- und serviceorientiert.

Wir bieten Ihnen ein attraktives Gehalt, kostenlose Weiterbildungsmöglichkeiten und 30 Tage Urlaub.

Wir freuen uns auf Ihre Bewerbung per E-Mail an Frau Hall: personalabteilung@privatklinik.wunder.net.

Grammatik

1 Tätigkeitsbeschreibungen: Nominalisierungen   › ÜB: B2

a Markieren Sie den Akkusativ im Infinitivsatz (Satz a) und dessen Umformulierung zusammen mit Nomen (Satz b).

1. a. Meine Aufgabe war, den Wareneingang zu kontrollieren.
   b. Meine Aufgabe war die Kontrolle des Wareneingangs.

2. a. Ich war dafür zuständig, Bestellungen zu erfassen.
   b. Ich war für die Erfassung von Bestellungen zuständig.

3. a. Die Kundenrechnungen zu bezahlen, hatte für unsere Abteilung höchste Priorität.
   b. Die Bezahlung der Kundenrechnungen hatte für unsere Abteilung höchste Priorität.

4. a. Zu meiner Zuständigkeit gehörte, ein Konzept für die Lagerorganisation zu entwickeln.
   b. Zu meiner Zuständigkeit gehörte die Entwicklung eines Konzepts für die Lagerorganisation.

5. a. Eine meiner Hauptaufgaben war, Lieferverträge zu erstellen.
   b. Eine meiner Hauptaufgaben war die Erstellung von Lieferverträgen.

6. a. Ich war dafür verantwortlich, neue Absatzgebiete zu erschließen.
   b. Ich war für die Erschließung neuer Absatzgebiete verantwortlich.

b Schauen Sie sich die Markierungen in 1b an und ordnen Sie die Sätze den Regeln zu.

1. Akkusativergänzung mit dem bestimmten bzw. dem unbestimmten Artikel oder mit Adjektiv
   → Genitiv, Sätze: _1,_____
2. Akkusativergänzung ohne Artikel und ohne Adjektiv → „von" + Dativ, Sätze: _2,_____

c Ihre Aufgaben bei Ihrem früheren Arbeitgeber. Formulieren Sie die Infinitivsätze in Ausdrücke mit Nomen um.

1. Zu meinem Aufgabengebiet gehörte auch, Kundenanfragen zu beantworten.

   Zu meinem Aufgabengebiet gehörte auch die Beantwortung von Kundenanfragen.

2. Ich war dafür verantwortlich, die Produktionsprozesse zu verbessern.

   Ich war für die Verbesserung ...

3. Von uns wurde erwartet, neue Organisationsmodelle zu entwickeln.

   _____

4. Zu meinen Aufgaben zählte auch, Angebote zu kalkulieren.

   _____

5. In dieser Zeit war meine wichtigste Tätigkeit, ein Vertriebsnetz für Italien aufzubauen.

   _____

6. Ich war dafür zuständig, den Kundenservice zu schulen.

   _____

7. Eine meiner Hauptaufgaben war, Messeauftritte zu planen und organisieren.

   _____

8. Mein Team kümmerte sich darum, eine Werbekampagne für die neue Produktserie zu konzipieren.

   _____

2 Zeitabläufe beschreiben: Nebensätze mit „wenn", „wann", „als" › KB: D3

a „wenn" oder „wann"? Lesen Sie die Sätze und ergänzen Sie das passende Wort.

1. Bitte bewerben Sie sich wieder bei uns, _wenn_ Sie nach Deutschland zurückgekehrt sind.

2. Weißt du schon, _wann_ dein Vorstellungstermin ist?

3. _____ Sie hier sind, melden Sie sich bitte am Empfang.

4. Ich würde mich über eine kurze Rückmeldung freuen, _____ Sie meine Bewerbungsunterlagen erhalten haben.

5. Ich könnte von 8:30 bis 14:00 Uhr arbeiten, _____ meine Tochter im Kindergarten ist.

6. Können Sie mir sagen, _____ ich wieder von Ihnen höre?

7. Wir möchten noch wissen, _____ Sie frühestens bei uns anfangen können.

b „wenn" oder „als"? Lesen Sie die Sätze und ergänzen Sie das passende Wort.

1. _Als_ unsere Tochter geboren wurde, ging ich in Elternzeit.

2. _Wenn_ ich auf Dienstreise bin, werden meine Eltern sich um das Kind kümmern.

3. _____ wir unsere Ergebnisse präsentierten, waren meine Verkaufszahlen immer unter den besten in meiner Region.

4. _____ ich in Frankfurt studierte, habe ich mehrere Praktika bei internationalen Pharmaunternehmen absolviert.

5. Ich hatte mein erstes Vorstellungsgespräch, _____ ich im letzten Semester an der Uni war.

6. Ich möchte mich beruflich neu orientieren, _____ wir nach Deutschland zurückkehren.

3 „wenn", „wann", „ob" oder „als"? › KB: D3

a Was passt: „wenn" oder „ob"? Kreuzen Sie an.

1. a. ☒ Wenn   b. ☐ Ob   Sie eine neue berufliche Herausforderung suchen, bewerben Sie sich spätestens bis zum 30. November 2017 bei uns.

2. a. ☐ Wenn   b. ☐ Ob   Sie Erfahrung in der Tourismusbranche haben und mobil sind, möchten wir Sie gerne kennenlernen.

3. Ich würde gerne wissen,
   a. ☐ wenn   b. ☐ ob   die Stelle nur in Vollzeit oder auch in Teilzeit angeboten wird.

4. Es wäre wünschenswert,
   a. ☐ wenn   b. ☐ ob   Sie außer Englisch und Französisch noch eine weitere Fremdsprache beherrschen würden.

5. Wir können Ihre Bewerbung nur annehmen,
   a. ☐ wenn   b. ☐ ob   wir sie bis Ende der Woche erhalten.

6. Können Sie mir sagen,
   a. ☐ wenn   b. ☐ ob   die Stelle noch frei ist?

7. Ich wollte nur kurz nachfragen,
   a. ☐ wenn   b. ☐ ob   Sie meine Bewerbungsunterlagen erhalten haben.

b Lesen Sie das Gespräch zwischen der Personalchefin, Frau Obermeyer (O), und der Bewerberin, Frau Sailer (S) und ergänzen Sie „wenn", „wann", „ob" oder „als".

O: Guten Tag, Frau Sailer. Es freut mich sehr, dass es so schnell mit dem Termin geklappt hat.

S: Ja, mich auch. Ich wusste erst nicht, [1] _ob_ ich so kurzfristig einen Flug bekomme.

O: [2] _Wenn_ wir schon über Zeit sprechen: Wissen Sie schon, [3] _____ Sie bei uns anfangen könnten?

S: Spätestens am 1. September. Meine Tochter bekommt einen Platz im Kindergarten, [4] _____ sie drei Jahre alt ist, das ist Mitte August.

O: Gut. Sprechen wir über Ihre berufliche Entwicklung. Können Sie mir sagen, [5] _____ und wo Sie schon erste Erfahrungen in der Tourismusbranche gemacht haben?

S: Gerne. Mein erstes Praktikum habe ich bereits gemacht, [6] _____ ich noch Studentin war. Ich wollte herausfinden, [7] _____ ein Beruf im Tourismus wirklich das Richtige für mich ist. [8] _____ ich das Praktikum beendet hatte, war mir klar: Das ist mein Beruf!

O: Schön. In unserer Branche sind Fremdsprachenkenntnisse natürlich sehr wichtig. Könnten Sie mir noch sagen, [9] _____ Sie außer Deutsch und Englisch noch weitere Sprachen sprechen?

S: Ja. Nach meinem Bachelor habe ich ein Auslandsjahr in Italien absolviert. [10] _____ ich wieder zurückkam, waren meine Italienischkenntnisse auf C1-Niveau. Es würde mich sehr freuen, [11] _____ ich meine Fremdsprachenkenntnisse auch im Beruf anwenden könnte.

O: Das klingt doch gut. Wir werden uns jetzt bald für einen Bewerber oder eine Bewerberin entscheiden.

S: Darf ich fragen, [12] _____ ich mit einer Antwort rechnen darf?

O: Wir melden uns bis Ende der kommenden Woche bei Ihnen. Ich danke Ihnen sehr für das Gespräch.

S: Ich danke Ihnen auch sehr herzlich, auf Wiedersehen.

4 Zeiträume beschreiben mit „seitdem"/„seit", „bis" › KB: D3

TIPP

a Was passiert zuerst? Was kommt später? Notieren Sie hinter den Sätzen (1) und (2). Formulieren Sie dann Sätze mit dem Nebensatzkonnektor „seitdem"/„seit".

Nebensätze mit „seitdem"/„s stehen sehr oft vor dem Hauptsatz.

1. Ich bin bei der Maurer GmbH. (_1_) Ich bin viel zufriedener. (_2_)
   Seitdem /Seit ich bei der Maurer GmbH bin, bin ich viel zufriedener.

2. Ich muss nicht mehr so viel reisen. (_2_) Ich arbeite im Home-Office. (_1_)
   Seitdem /Seit ich im Home-Office arbeite, muss ich nicht mehr so viel reisen.

3. Ich suche eine Stelle. (___) Ich habe meinen Bachelor abgeschlossen. (___)
   _____

4. Frau Schwarzenberger ist Abteilungsleiterin. (___) Sie bekommt ein höheres Gehalt. (___)
   _____

5. Unser Sohn hat ein Auslandsjahr in Großbritannien gemacht. (___) Sein Englisch ist viel besser. (___)
   _____

6. Herr Köster ist viel motivierter. (___) Er hat einen neuen Aufgabenbereich übernommen. (___)
   _____

b Was passiert zuerst? Was kommt später? Notieren Sie hinter den Sätzen (1) und (2). Formulieren Sie dann Sätze mit dem Nebensatzkonnektor „bis".

1. Claudia hat mehr als 15 Bewerbungen geschrieben. (_1_) Sie hat eine Zusage bekommen. (_2_)

   Claudia hat mehr als 15 Bewerbungen geschrieben, bis sie eine Zusage bekommen hat.

2. Sie hören wieder von uns. (_2_) Es kann ein paar Tage dauern. (_1_)

   Bis Sie wieder von uns hören, kann es ein paar Tage dauern.

3. Ich habe mehrere Jahre gebraucht. (___) Ich konnte fließend Italienisch sprechen. (___)

   _____

4. Eine Leitungsstelle wurde im Vertrieb frei. (___) Herr Ludwig musste lange warten. (___)

   _____

5. Andrea will Elternzeit nehmen. (___) Ihr Sohn ist zwei Jahre alt. (___)

   _____

c „seit" / „seitdem" oder „bis": Was passt wo? Ergänzen Sie.

1. Ich hatte viele Diskussionen mit meinem Chef, *bis*_____ ich endlich im Home-Office arbeiten durfte.

2. _____ wir nicht mehr in der Stadt wohnen, ist mein Arbeitsweg viel länger.

3. Ich hatte fünf Vorstellungsgespräche, _____ ich eine passende Stelle gefunden habe.

4. Unsere Kinder haben viel mehr Platz zum Spielen, _____ wir ein eigenes Haus haben.

5. _____ meine Abteilung nach Potsdam umzieht, dauert es noch ein halbes Jahr.

5 Zeiträume beschreiben mit Präpositionen › ÜB: D3

a Vergleichen Sie den Nebensatz (Satz a) und den Ausdruck mit Präposition (Satz b). Was hat sich verändert? Markieren Sie.

1. a. Seitdem wir nach Deutschland zurückgekehrt sind, schreibe ich fast täglich Bewerbungen.
   b. Seit unserer Rückkehr nach Deutschland schreibe ich fast täglich Bewerbungen.

2. a. Bis Herr Krüger am Freitag abreist, muss er noch viele Kunden besuchen.
   b. Bis zu seiner Abreise am Freitag muss Herr Krüger noch viele Kunden besuchen.

3. a. Martina wohnt noch bei uns, bis ihre Ausbildung beginnt.
   b. Martina wohnt bis zum Beginn ihrer Ausbildung noch bei uns.

4. a. Seitdem Frau Wecker auf einer Dienstreise den Autounfall hatte, hat sie oft Rückenschmerzen.
   b. Seit dem Autounfall auf einer Dienstreise hat Frau Wecker oft Rückenschmerzen.

b Formulieren Sie die Nebensätze in Ausdrücke mit „seit" + Dativ oder „bis zu (zum / zur)" + Dativ um.

1. Seitdem ich meine Prüfung bestanden habe, …

   Seit meiner Prüfung _____

2. Seitdem wir das Firmenjubiläum hatten, …

   _____

3. Seitdem ich mein Studium abgeschlossen habe, …

   _____

4. Bis Herr Schwarzhoff in Rente geht, …

   Bis zur Rente _____

5. Bis das Meeting beginnt, …

   _____

6. Bis die Messe endet, …

   _____

c Markieren Sie das Nomen mit seinem Artikel, auf das sich „seitdem" bezieht, und formulieren Sie die Sätze mit der Präposition „seit" + Dativ um.

1. Seitdem Jan seinen Master gemacht hat, bekommt er mehr Einladungen zu Vorstellungsgesprächen.

   Seit seinem Master bekommt Jan mehr Einladungen zu Vorstellungsgesprächen.

2. Seitdem Frau Weber einen Termin bei der Arbeitsagentur hatte, hat sie drei Stellenangebote bekommen.

   _____

3. Seitdem ich im Mai das Vorstellungsgespräch hatte, habe ich nichts mehr von der Firma gehört.

   _____

4. Seitdem wir die Teambesprechung hatten, ist das Arbeitsklima viel besser.

   _____

d Was passiert zuerst? Was kommt später? Notieren Sie hinter den Sätzen (1) und (2). Formulieren Sie dann Sätze mit der Präposition „seit" + Dativ.

1. Wir sind nach Asien gereist. (_1_) Wir verstehen den Markt dort viel besser. (_2_)

   Seit unserer Reise nach Asien verstehen wir den Markt dort viel besser.

2. Frau Schneider arbeitet wieder in Vollzeit. (_2_) Die Elternzeit ist zu Ende. (_1_)

   Seit dem Ende der Elternzeit arbeitet Frau Schneider wieder in Vollzeit.

3. Ich habe mich bei der Elara GmbH beworben. (___) Schon drei Monate sind vergangen. (___)

   _____

4. Ich habe meine Bewerbungsstrategie geändert. (___) Ich habe ein Bewerbungstraining besucht. (___)

   _____

5. Janine hat sehr viel Stress. (___) Janine ist in eine andere Abteilung gewechselt. (___)

   _____

e Was passiert zuerst? Was kommt später? Notieren Sie hinter den Sätzen (1) und (2). Formulieren Sie dann Sätze mit der Präposition „bis zu (zum / zur)" + Dativ.

1. Bitte warten Sie hier. (_1_) Das Vorstellungsgespräch beginnt. (_2_)

   Bitte warten Sie hier bis zum Beginn des Vorstellungsgesprächs.

2. Er hat seinen Universitätsabschluss. (_2_) Ferdinand wohnt noch bei seinen Eltern. (_1_)

   Bis zu seinem Universitätsabschluss wohnt Ferdinand noch bei seinen Eltern.

3. Bitte bleiben Sie noch sitzen. (___) Die Prüfung ist zu Ende. (___)

   _____

4. Wir haben unseren nächsten Termin. (___) Ich brauche noch Ihre Zeugnisse. (___)

   _____

5. Ich habe mich bei mehreren Jobbörsen registriert. (___) Meine Stellensuche war erfolglos. (___)

   _____

6. Es hat drei Monate gedauert. (___) Der Antrag wurde genehmigt. (___)

   _____

f „bis zu (zum / zur)" oder „seit"? Ergänzen Sie das passende Wort.

Carolina Küster wusste [1] _seit_ ihrer Kindheit, dass sie eine Karriere am Theater machen wollte.

[2] _____ ihrem ersten Theaterbesuch war ihr klar: „Da möchte ich arbeiten!" [3] _____ ihrem Abitur

jobbte sie mehrmals in den Schulferien am Theater in ihrem Heimatort. [4] _____ Beginn ihres

Literaturstudiums musste sie sechs Monate warten und machte in dieser Zeit ein Praktikum am Staatstheater in

Hannover. Aber der Weg [5] _____ Theaterkarriere ist noch lang. [6] _____ dem Ende ihres Studiums

sucht Carolina eine Stelle, aber [7] _____ mehreren Monaten hat sie keine Einladung mehr zu einem

Vorstellungsgespräch bekommen. Wahrscheinlich muss sie [8] _____ nächsten Jahr warten.

6 Vorzeitigkeit, Nachzeitigkeit, Gleichzeitigkeit › KB: D3 › K9: G3, 5–10

a „nachdem", „während" oder „bevor"? Lesen Sie die Sätze und ergänzen Sie das passende Wort. Überprüfen Sie dann Ihre Lösungen.

1. _Während_ ich noch mein Studium absolvierte, machte ich in den Semesterferien Praktika in

   verschiedenen Unternehmen.

2. _____ Frau Freese ihr Studium beendet hatte, bewarb sie sich sofort bei mehreren IT-Unternehmen.

3. _____ Anna an der Universität Bologna ein Auslandssemester absolvierte, lernte sie dort ihren

   späteren Mann kennen.

4. _____ Max sein Studium begann, arbeitete er ein Jahr lang auf einem Kreuzfahrtschiff.

5. _____ Herr Schulz fünf Jahre in der Buchhaltung gewesen war, suchte er eine neue berufliche

   Herausforderung.

6. _____ man zu einem Kundentermin geht, sollte man sich gut vorbereiten.

7. _____ man sich in einem Vorstellungsgespräch befindet, sollte das Handy aus sein.

b Formulieren Sie die Sätze aus 6a kürzer. Verwenden Sie die Präpositionen „nach", „während" oder „vor".

1. _Während meines Studiums machte ich in den Semesterferien_
   Praktika in verschiedenen Unternehmen.

2. _____

3. _____

4. _____

5. _____

6. _____

7. _____

Während meines
Studiums …

Basiskapitel – Was ist was?

Wortschatz

1a 2. Nomen • 3. Verben • 4. Adjektive • 5. Adverbien • 6. Personalpronomen • 7. Possessivartikel • 8. Demonstrativartikel • 9. Präpositionen

1b 1. den • einer • 2. Team • Unternehmen • 3. arbeiten • machen • 4. schwer • unpraktisch • 5. gestern • oben • 6. ich • Sie • 7. euer • unseren • 8. diesen • dieses • 9. mit • von

1c 2. **Artikel bestimmt:** Der • dem • **Artikel unbestimmt:** – • **Nomen:** Verkäufer • Kunden • **Verb:** antwortet • 3. **Artikel bestimmt:** Die • **Artikel unbestimmt:** eine • **Nomen:** Assistentin • Datei • **Verb:** löscht • 4. **Artikel bestimmt:** die • **Artikel unbestimmt:** Ein • **Nomen:** Praktikant • Akten • **Verb:** ordnet

1d 2a • 3b • 4a • 5a • 6b

1e 3. bestimmter Artikel • 4. Negativartikel • 5. unbestimmter Artikel • 6. Demonstrativartikel • 7. Possessivartikel

2a **Regel:** 1a • 2b

2b 3. keine Endung • 4. Endung • lange • 5. Endung • großes • 6. keine Endung

3 3b • 4a • 5a • 6b • 7b • 8a

4a **Maskulinum (M):** der Beruf • der Drucker • der Hersteller • der Job • der Kalender • der Name • der Raum • **Neutrum (N):** das Büro • das Ergebnis • das Gebäude • das Gerät • das Konzept • das Problem • das Programm • **Femininum (F):** die Arbeit • die Aufgabe • die Datei • die Firma • die Information • die Maschine • die Messe

4b M: 3 • 4 • 7 • 11 • 12 • 16 • 17 • N: 5 • 9 • 14 • F: 2 • 6 • 8 • 10 • 13 • 15 • 18

5 -: das Zimmer / die Zimmer • ¨: der Flughafen / die Flughäfen • die Tochter / die Töchter • **-e:** das Angebot / die Angebote • der Termin / die Termine • ¨e: die Hand / die Hände • der Vertrag / die Verträge • **-se:** der Bus / die Busse • die Kenntnis / die Kenntnisse • **-er:** das Bild / die Bilder • das Schild / die Schilder • ¨er: das Passwort / die Passwörter • der Wald / die Wälder • **-n:** die Feier / die Feiern • der Name / die Namen • **-en:** der Fotograf / die Fotografen • das Hemd / die Hemden • **-nen:** die Freundin / die Freundinnen • die Managerin / die Managerinnen • **-s:** das Meeting / die Meetings • das Team / die Teams

Grammatik

1a **Tabelle: Akkusativ: Maskulinum (M):** den • **Neutrum (N):** das • **Femininum (F):** die • **Plural (M, N, F):** die • **Dativ: Maskulinum (M):** dem • **Neutrum (N):** dem • **Femininum (F):** der • **Plural (M, N, F):** den

1b **Tabelle: Akkusativ: Maskulinum (M):** keinen • meinen • **Femininum (F):** eine • keine • meine • **Plural (M, N, F):** keine • meine • **Dativ: Maskulinum (M):** keinem • meinem • **Neutrum (N):** einem • keinem • meinem • **Femininum (F):** einer • keiner • meiner • **Plural (M, N, F):** keinen • meinen

1c **Tabelle: Akkusativ: F:** -e • **Pl. (M, N, F):** -e • **Dativ: N:** -(e)m • **F:** -(e)r • **Pl. (M, N, F):** -(e)n

1d 2. Der Vertrieb hat heute Baumaschinen verkauft. / Der Vertrieb hat heute keine Baumaschinen verkauft. • 3. Unser Unternehmen sucht Mitarbeiter. / Unser Unternehmen sucht keine Mitarbeiter. • 4. Wir brauchen Besprechungszimmer. / Wir brauchen keine Besprechungszimmer.

2a 3u • 4b • 5b • 6u • 7u • 8b

2b 2. a • d • f • 3. a • c • 4. b • d • 5. a • c • e

2c 2. Berufsbezeichnung • 3. Stadt • 4. unbestimmte Menge (Singular) • 5. Sprache • 6. Land • 7. Nationalität • 8. unbestimmte Menge (Plural)

2d 2. kein • 3. keine • 4. keinen • keine • 5. keine

2e 2. Die • 3. Ø • 4. keine • 5. einen • 6. einem • 7. keinen • 8. einen • 9. Das • dem

3a **Markierungen: Akkusativ Plural:** Kollegen / Lieferanten • **Dativ Singular:** Kollegen / Lieferanten • **Dativ Plural:** Kollegen / Lieferanten

3b 2. den Studenten • dem Studenten • die / den Studenten • 3. den Journalisten • dem Journalisten • die / den Journalisten • 4. den Automaten • dem Automaten • die / den Automaten • 5. den Kunden • dem Kunden • die / den Kunden • 6. den Chinesen • dem Chinesen • die / den Chinesen • 7. den Nachbarn • dem Nachbarn • die / den Nachbarn • 8. dem Herrn

4a 2b • 3a • 4b • 5a • 6a • 7a • 8a • 9b

4b 3. A • seinen • 4. A • ihre • 5. N • seine • 6. N • – • 7. D • seiner

5a 5. DP • 6. DA • 7. DP • 8. DA

5b **Tabelle: Demonstrativartikel: Nom.:** dieses • diese • diese • **Akk.:** diesen • diese • diese • **Dat.:** diesem • diesem • diesen • **Demonstrativpronomen: Nom.:** dieser • dieses • diese • **Akk.:** dieses • diese • **Dat.:** diesem • dieser

5c **Regel:** 1a • denen

6a 2b • 3b • 4a • 5b • 6a • 7a • 8a • 9b

6b 3. Wo? + Dat. • der • 4. Wohin? + Akk. • die • 5. Wo? + Dat. • dem • 6. Wohin? + Akk. • den • 7. Wo? + Dat. • dem • 8. Wohin? + Akk. • das • den • 9. Wo? + Dat. • dem

6c 2a • 3b • 4b • 5b • 6a • 7a

6d 2. mit • 3. bei • 4. Nach • 5. von • 6. aus • 7. zu • 8. Ab

7a **Tabelle:**

Position 1	Position 2: konjugiertes Verb	
2. Am Freitag	präsentiert	die Geschäftsführung die Unternehmenszahlen.
3. Wann	präsentiert	die Geschäftsführung die Unternehmenszahlen?
4. Ein Assistent	organisiert	die Präsentation.
5. Die Präsentation	organisiert	ein Assistent.

7b **Tabelle:**

Position 1	Position 2: konjugiertes Verb		Satzende: 2. Verb
3. Beim letzten Termin	hat	es viele Fragen	gegeben.
4. Wann	hat	es viele Fragen	gegeben?
5. Viele	wollten	mehr Informationen	erhalten.

7c **Markierungen:** 3. <u>Präsentiert</u> die Geschäftsführung alle Zahlen? • 4. <u>Können</u> wir Fragen zu den Zahlen <u>stellen</u>? • 6. <u>Kümmern</u> Sie sich bitte auch um das Mittagessen. • 7. <u>Plane</u> bitte auch eine Kaffeepause <u>ein</u>. • 8. <u>Gebt</u> allen Teilnehmern ein Namensschild.
Regel: a

8a 2. Alternative • 3. Gegensatz • 4. Grund • 5. Alternative nach Negation

8b **Tabelle:**

1. Hauptsatz/Satzteil	Position 0	2. Hauptsatz/Satzteil
2. Frau Abt macht die Buchhaltung alleine,	denn	ihre Kollegin ist krank.
3. Die PR-Abteilung pflegt die Webseite	und	(sie) schreibt die Pressemitteilungen.
4. Heute ist mein Kollege nicht im Büro,	sondern	(er) macht Homeoffice.
5. Ich kann den Kunden besuchen	oder	wir treffen ihn auf der Messe.

8c 2. Ich besuche eine Schulung für Datenverwaltung und eine (Schulung) für Datensicherheit. • 3. Mein Kollege war beruflich schon oft in Indien, aber noch nie in China. • 4. Ich fliege heute nicht über Zürich, sondern (über) Paris.

9 2. Perfekt • 3. Präteritum • 4. Präsens für Zukunft

10 **Tabelle: kommen:** wir kommen • sie/Sie kommen • **heißen:** ich heiße • er/sie/es heißt • ihr heißt • **arbeiten:** du arbeitest • wir arbeiten • **haben:** ich habe • ihr habt • sie haben • **sein:** du bist • wir sind • ihr seid •
e → i: geben: er/sie/es gibt • wir geben • ihr gebt • sie/Sie geben •
e → ie: sehen: ich sehe • er/sie/es sieht • wir sehen • sie/Sie sehen •
a → ä: fahren: ich fahre • du fährst • wir fahren • ihr fahrt • **au → äu: laufen:** er/sie/es läuft • wir laufen • ihr lauft • sie laufen

11a 2D • 3B • 4C

11b 2B • 3D • 4C

11c 2C • 3B

11d 4. hat versprochen • 5. hast eingeplant • 6. ist passiert • 7. habe gewusst • 8. ist abgeflogen • 9. haben bestellt • 10. haben beigebracht • 11. bist gewesen • 12. hat funktioniert • 13. ist gewandert • 14. seid gefahren

12 **Regelmäßige Verben: machen:** du machtest • wir machten • sie machten • **bauen:** ich baute • er/sie/es baute • ihr bautet • **arbeiten:** er/sie/es arbeitete • wir arbeiteten • sie/Sie arbeiteten • **gründen:** ich gründete • du gründetest • ihr gründetet •
Unregelmäßige Verben: kommen: wir kamen • ihr kamt • sie/Sie kamen • **finden:** er/sie/es fand • ihr fandet • sie/Sie fanden • **gehen:** ich ging • du gingst • wir gingen • **werden:** er/sie/es wurde • ihr wurdet • sie/Sie wurden •
Gemischte Verben: kennen: du kanntest • er/sie/es kannte • ihr kanntet • sie/Sie kannten • **denken:** ich dachte • er/sie/es dachte • wir dachten • sie/Sie dachten • **bringen:** ich brachte • du brachtest • wir brachten • ihr brachtet • **wissen:** du wusstest • er/sie/es wusste • ihr wusstet • sie/Sie wussten

Kapitel 1

Wortschatz und Schreiben

1a 3. Energieindustrie • 4. Getränkeindustrie • 5. Kosmetikindustrie • 6. Maschinenbauindustrie • 7. Nahrungsmittelindustrie • 8. Stahlindustrie

1b 4. die Kaffeemaschine • die Kaffeemaschinen • 5. das Sportgetränk • die Sportgetränke • 6. das Lebensmittelgeschäft • die Lebensmittelgeschäfte • 7. die Busreise • die Busreisen • 8. die Handcreme • die Handcremes • 9. die Metalltür = die Metalltür • die Metalltüren

1c **Regel:** b

1d 4. die Kaffeemaschine = die Maschine für Kaffee • 5. das Sportgetränk = das Getränk für den Sport • 6. das Lebensmittelgeschäft = das Geschäft für Lebensmittel • 7. die Busreise = die Reise mit dem Bus • 8. die Handcreme = die Creme für die Hand • 9. die Metalltür = die Tür aus Metall

1e 2. das Lebensmittel • 3. der Geschäftsprozess • 4. das Gebrauchsgut • 6. der Kundenwunsch • 7. der Familienbetrieb • 8. das Küchenfenster

1f 3. der Bau von Maschinen • 4. der Service für die Kunden • 5. die Hose für Herren

1g 2. die Datenbank • 3. das Handwerk • 4. der Hauptsitz • 5. das Nahrungsmittel • 6. das Produktionsgut • 7. die Skihose • 8. der Werkstoff

2a 2. die Drehmaschine, -n • 3. der Baustahl, ̈e • 4. das Tauschgeschäft, -e • 5. der Wanderschuh, -e • 7. der Liegestuhl, ̈e • 8. die Haltestelle, -n • 9. der Landeplatz, ̈e • 10. der Anmeldetermin, -e

2b 2. die Drehmaschine = die Maschine zum Drehen • 3. der Baustahl = der Stahl zum Bauen • 6. der Reisebus = der Bus zum Reisen • 7. der Liegestuhl = der Stuhl zum Liegen • 8. die Haltestelle = die Stelle zum Halten

3a 2. der Rohstoff, -e • 3. die Komplettmontage, -n • 4. das Eigenkapital, -e • 5. die Freizeit, -en

3b 2. die Mietwohnung, -en • 3. der Lieferschein, -e • 4. der Parkplatz, ̈e • 5. die Baumaschine, -n • 7. der Großhandel (kein Plural) • 8. die Hochschule, -n • 9. das Kleingeld (kein Plural) • 10. die Rundfahrt, -en

4a 2. anrufen • ruft • an • 3. aufbauen • baut • auf • 4. ausüben • übt • aus • 5. einplanen • plant • ein • 6. herstellen • stellt • her • 7. mitteilen • teilt • mit • 8. vorstellen • stellt • vor • 9. zusenden • senden • zu

4b 2. hat • vorgeschlagen • 3. hat • abgerechnet • 4. hat • eingerichtet

5 2. haben • entwickelt • 3. hat • erzielt • 4. hat • gehört • 5. haben • vereinbart • 6. hat • zertrümmert

6 2. Unser Haushalt hat dieses Jahr mehr Energie verbraucht. • 3. Das Software-Unternehmen hat leider keine gute Dienstleistung erbracht. • 4. Der Messebauer hat den Messestand schon abgebaut. • 5. Wir haben die falsche Ware noch nicht zurückgeschickt. • 6. Der Kundenservice hat beim Produkt keinen Fehler festgestellt. • 7. Der Techniker hat alles nachgeprüft und alle Störungen behoben. • 8. Letztes Jahr hat das Unternehmen viele Mitarbeiter entlassen.

Grammatik

1a 3. Der Geschäftsführer hält eine Präsentation. • a. Der Geschäftsführer. • b. Eine Präsentation. • 4. Unser Elektriker beschäftigt einen Lehrling. • a. Unser Elektriker. • b. Einen Lehrling. • 5. Klimaanlagen verbrauchen viel Energie. • a. Klimaanlagen. • b. Viel Energie.

1b 2. Der Autohändler verkauft einem Kunden einen BMW. • a. Einen BMW. • b. Einem Kunden. • 3. Der Händler gibt dem Käufer einen Rabatt. • a. Einen Rabatt • b. Dem Käufer.

2a 3. der • – • 4. der • – • 5. des • Büros • 6. der • – • 7. der • – • 8. des • Autos

2b 3. des Kollegen • 4. des Lieferanten • 5. des Assistenten • 6. des Herrn (selten auch: des Herren) • 7. des Psychologen • 8. des Automaten

2c 2. Morgen startet der Techniker die Installation der Software. • 3. Der Hauptsitz des Unternehmens ist in Dortmund. • 4. Die Planung einer Anlage kostet viel Zeit. • 5. Bitte bearbeiten Sie noch die Bestellung der Medikamente. • 6. Die Ausbildung eines Handwerkers dauert meistens drei Jahre.

2d 3. die Liste der Telefonnummern • 4. die Aufgaben eines Bauingenieurs • 5. die Analyse der Daten • 6. die Herstellung von Strom • 7. die Adresse keines Kunden • 8. der Termin Ihrer Besprechung • 9. die Herstellung von Waren • 10. die Planung unserer Sitzungen

2e **Tabelle: bestimmter Artikel:** des • der • der • **unbestimmter Artikel:** eines • einer • **Negativartikel:** keines • keiner • keiner • **Possessivartikel:** seines • seiner • seiner

3 Tabelle:

Position 1	Position 2: konjugiertes Verb		Satzende: 2. Verb
3. Boehringer Ingelheim	entwickelt	auch Medikamente für Tiere.	
4. Das Pharmaunternehmen	will	den Bereich „Tiermedizin" weiter	ausbauen.
5. 2016	haben	die Unternehmen die Verhandlungen erfolgreich	beendet.

4a Tabelle:

Hauptsatz	Nebensatz		
2. Sanofi braucht die Gebäude,	weil	die Medizintechnik	wächst.
3. Beide Unternehmen waren sehr zufrieden,	als	die Verhandlungen	begannen.
4. Der Tausch hat funktioniert,	weil	die Unternehmen gut	verhandelt haben.

4b Tabelle:

Nebensatz			Hauptsatz	
2. Weil	die Medizintechnik	wächst,	braucht	Sanofi die Gebäude.
3. Als	die Verhandlungen	begannen,	waren	beide Unternehmen sehr zufrieden.
4. Weil	die Unternehmen gut	verhandelt haben,	hat	der Tausch funktioniert.

5a 4. vorzubeugen • 5. zu tauschen • 6. zu entwickeln • 7. einzuführen • 8. zu vergrößern • 9. zu finanzieren

5b 2. Damit die Medizintechnik mehr Platz bekommt. • 3. Damit man weiter wachsen kann.

5c Tabelle:

Hauptsatz	Nebensatz		
2. Sanofi investiert 200 Millionen,	damit	die Medizintechnik mehr Platz	bekommt.
3. Man vergrößert die Medizintechnik,	damit	man weiter	wachsen kann.

5d 2. Um mehr Platz zu bekommen. • 3. Um weiter wachsen zu können.

5e Tabelle:

Hauptsatz	Nebensatz		
2. Sanofi investiert 200 Millionen,	um	mehr Platz	zu bekommen.
3. Man vergrößert die Medizintechnik,	um	weiter	wachsen zu können.

Regel: a

5f 3. Die BTA AG schließt Niederlassungen im Inland, um das Auslandsgeschäft auszubauen. • 4. Die BTA AG verhandelt mit einem Händler in Österreich, damit er sich um den Vertrieb kümmert. • 5. Die BTA AG besucht viele Messen, um ihre Kunden direkt anzutreffen.

5g 2. Die BTA AG schließt Niederlassungen im Inland, damit sie das Auslandsgeschäft ausbauen kann. • 3. Die BTA AG besucht viele Messen, damit sie ihre Kunden direkt antreffen kann.

6a 2. um • 3. zu • 4. auf • 5. für • 6. von • 7. an

6b 3. Wozu gehört Boehringer Ingelheim? – Zu der Pharmaindustrie. • 4. Worauf will sich Sanofi konzentrieren? – Auf das Geschäft mit rezeptfreien Medikamenten. • 5. Wofür hat sich die Leitung entschieden? – Für hohe Investitionen. • 6. Wovon halten die meisten Mitarbeiter viel? – Von dieser Entscheidung. • 7. Woran haben sie großes Interesse? – An einem Ausbau des Standorts.

6c 2. An wen schickt die BTA AG ein Muster und ein Angebot? • 3. Präp. + D • Von wem halten die Mitarbeiter viel? • 4. Präp. + A • Für wen haben die meisten bei der Wahl gestimmt?

7a 2. darum • 3. dazu • 4. darauf • 5. dafür • 6. davon • 7. daran

7b 1. Sätze: 4 • 2. Sätze: 5 • 6 • 7

7c 3. Die Medizintechnik ist sehr zufrieden damit, dass sie nun mehr Platz hat. • 4. Für die Ausstattung der Kantine können alle Vorschläge machen, viele beteiligen sich daran / daran beteiligen sich viele. • 5. In den Pausen sprechen viele darüber, denn sie finden das Thema interessant.

7d 3. Die Geschäftsleitung achtet darauf, dass es für alle Vorschläge gleich viel Zeit gibt. • 4. Alle sind sehr zufrieden damit, dass die Präsentationen so gut sind. • 5. Man einigt sich auf einen Vorschlag, alle freuen sich darüber / darüber freuen sich alle.

Kapitel 2

Wortschatz und Schreiben

1a 3. der Hals • die Halsschmerzen • 4. der Zahn • die Zahnschmerzen • 5. das Herz • die Herzschmerzen • 6. der Magen • die Magenschmerzen • 7. der Bauch • die Bauchschmerzen • 8. die Schulter • die Schulterschmerzen • 9. der Rücken • die Rückenschmerzen • 10. das Knie • die Knieschmerzen

1b 2. unfähig • 3. sich gut fühlen • 4. leicht

1c 1. geht es nicht so gut. • tut der Rücken weh. • ist übel. • 2. erkältet. • krank. • 3. eine Erkältung. • starke Schmerzen. • Beschwerden.

1d 2. Ich habe starken Schnupfen und muss mir dauernd die Nase putzen. • 3. Ich bin heiser und muss sehr viel husten. • 4. Ich fühle mich sehr schlecht und habe eine Grippe. • 5. Vielleicht habe ich eine schwere Bronchitis, denn mir tut die Brust sehr weh. • 6. Mir ist übel, ich habe starke Magenschmerzen. • 7. Mir geht es nicht gut, denn ich habe hohes Fieber.

2a 2. das • das Heilverfahren • 3. die • die Wartezeit • 4. die • die Sprechzeiten

2b 2. Hals-, Nasen-, Ohrenheilkunde • 3. Naturheilverfahren • 4. Orthopädie

2c 2. die Tablette, -n • 3. die Salbe, -n • 4. die Spritze, -n

2d 2. krankgeschrieben • 3. Krankschreibung • 4. krankgeschrieben

2e 2. Dann hat er mir eine Spritze gegeben. • 3. Er hat mir auch Medikamente verschrieben. • 4. Ich muss Hustentropfen nehmen. • 5. und nehme 2x täglich Tabletten ein. • 6. Außerdem muss ich meine Brust mit Salbe einreiben. • 7. Ich muss zum Glück kein Antibiotikum nehmen. • 8. Ich soll mich gut ausruhen.

3 2. unverzüglich • 3. übernimmt • 4. innerhalb von • Krankschreibung • 5. Diagnose

4a 3. die Erkältung, -en • 4. die Vertretung, -en • 5. die Entzündung, -en • 6. die Verhandlung, -en

4b **Regel:** b • -en

4c 2. der Mitarbeiter, -/die Mitarbeiterin, -nen • 3. der Vertreter, -/die Vertreterin, -nen • 4. der Hersteller, -/die Herstellerin, -nen • 5. der Programmierer, -/die Programmiererin, -nen • 7. der Händler, -/die Händlerin, -nen • 8. der Trainer, -/die Trainerin, -nen • 9. der Bäcker, -/die Bäckerin, -nen • 10. der Entwickler, -/die Entwicklerin, -nen

4d 2. der Fernseher, – • 3. der Ordner, – • 4. der Speicher, – • 5. der Transporter, – • 6. der Kopierer, -

5a *Mögliche Lösung:* 2. G • 3. A • 4. B • 5. H • 6. E • 7. F • 8. D

5b *Mögliche Lösung:* Hallo Paula,
leider bin ich krank und bin bis nächsten Mittwoch krankgeschrieben. Ich habe starkes Fieber und Schmerzen und fühle mich sehr schwach. Der Arzt hat eine Grippe festgestellt und mir Tabletten verschrieben. Bitte rufe im Marketing wegen der Flyer an. Die sind sehr dringend. Wenn du Fragen zur Vertretung hast, kannst du dich melden. Ich rufe an, wenn der Arzt mich noch länger krankschreibt. Vielen Dank und viele Grüße Peter

6 2. Deswegen fehlen 21,7 Prozent. • 3. Das ist mehr als jeder Fünfte. • 4. An zweiter Stelle stehen Erkältungskrankheiten mit 16,6 %. • 5. Dann kommen psychische Erkrankungen mit 16,2 Prozent. • 6. Wegen Verletzungen fehlt zirka jeder Achte.

Grammatik

1a **Singular: bestimmt: Nominativ:** aktuelle • schwere • **Akkusativ:** aktuelle • schwere • **Dativ:** aktuellen • schweren • **unbestimmt: Nominativ:** aktuelles • schwere • **Akkusativ:** aktuelles • schwere • **Dativ:** aktuellen • schweren • **Negativ: Nominativ:** starker • aktuelles • schwere • **Akkusativ:** starken • aktuelles • schwere • **Dativ:** starken • aktuellen • schweren • **Possessiv: Nominativ:** starker • aktuelles • schwere • **Akkusativ:** starken • aktuelles • schwere • **Dativ:** starken • aktuellen • schweren •
Plural: bestimmt: aktuellen • aktuellen • **unbestimmt:** aktuelle • aktuelle • aktuellen • **Negativ:** aktuellen • aktuellen • aktuellen • **Possessiv:** aktuellen • aktuellen • aktuellen

1b 2. N • ganzer • 3. A • starke • 4. D • netten • 5. A • gute • 6. N • kleines • 7. A • neuen • 8. A • richtige • 9. N • meisten • 10. N • richtige • 11. N • freundliche • 12. D • ganzen

2a 2. bis • den • 3. ohne • 4. Für • 5. um • die • 6. gegen • eine • 7. durch • die

2b 2. Von einem Kollegen bekommt sie die Adresse von einer Orthopädin. • 3. Bei der Untersuchung hat sie starke Schmerzen. • 4. Aus diesem Grund schreibt die Ärztin sie krank. • 5. Sie schickt sie zu einem Physiotherapeuten. • 6. Marga spricht lange mit dem Therapeuten. • 7. Nach der Behandlung fühlt Marga sich viel besser. • 8. Aber Marga geht erst ab dem 1. April wieder ins Büro.

2c 2b • 3b • 4a • 5b • 6a • 7a • 8b • 9a

3a 1b. der • 2a. des Essens • 2b. seines Magens • 3a. des Fiebers • 3b. meiner

3b **best. Artikel:** aktuellen • schweren • aktuellen • **unbest. Artikel:** starken • aktuellen • schweren • aktueller • **Negativartikel:** starken • aktuellen • schweren • aktuellen • **Possessivartikel:** starken • aktuellen • schweren • aktuellen

3c 2. Wegen des defekten Röntgengerät(e)s gibt es beim Arzt Probleme./ Beim Arzt gibt es wegen des defekten Röntgengerät(e)s Probleme. • 3. Wegen der vielen kranken Menschen muss Anton zwei Stunden in der Praxis warten./ Anton muss wegen der vielen kranken Menschen zwei Stunden in der Praxis warten. • 4. Wegen der guten Behandlung geht es Anton bald wieder besser./ Anton geht es wegen der guten Behandlung bald wieder besser.

4 2. schrecklichen • 3. starken • 4. alten • 5. genaue • 6. schwere • 7. starkes • 8. pflanzlichen • 9. angenehme • 10. langen • 11. netten

5a **Regel:** kein

5b **Tabelle: Nominativ:** -(e)s • -e • **Akkusativ:** -(e)n • -e • -e • **Dativ:** -(e)m • -(e)m • -(e)n • **Genitiv:** -(e)r • -(e)r

5c 2. D • großer • 3. G • falschen • 4. G • starker • 5. D • nächsten • 6. A • großen • 7. D (Pl.) • unzufriedenen • 8. D (Pl.) • freundlichen

6a 2. Sie schreibt eine Abwesenheitsnotiz, denn sie ist zurzeit nicht erreichbar. • 3. In dringenden Fällen kann man sich an Anton Krug wenden, denn er ist ihr Vertreter. • 4. Anton hat jetzt sehr viel Arbeit, denn er muss die Konferenz allein vorbereiten.

6b 2. Sie schreibt eine Abwesenheitsnotiz, weil sie ist zurzeit nicht erreichbar ist./ Weil sie zurzeit nicht erreichbar ist, schreibt sie eine Abwesenheitsnotiz. • 3. In dringenden Fällen kann man sich an Anton Krug wenden, weil er ihr Vertreter ist./ Weil Anton Krug ihr Vertreter ist, kann man sich in dringenden Fällen an ihn wenden. • 4. Anton hat jetzt sehr viel Arbeit, weil er die Konferenz allein vorbereiten muss./ Weil Anton die Konferenz allein vorbereiten muss, hat er jetzt sehr viel Arbeit.

6c 2. Da sie eine schwere Bronchitis hat, ist sie für 10 Tage krankgeschrieben. • 3. Da die Chefin den Katalog bei ihrer Dienstreise braucht, muss Anton sich um ihn kümmern. • 4. Da Anton die Unterlagen nicht auf Veras Schreibtisch finden kann, ruft er sie an. • 5. Da er für Vera viele Aufgaben erledigen muss, macht er viele Überstunden.

7a **Markierungen:** 2. Sie muss eine Röntgenaufnahme machen. Ihr Hausarzt vermutet eine Lungenentzündung. • 3. Der Hausarzt hat keinen Röntgenapparat. Sie muss zum Internisten gehen. • 4. Sie hat nur eine Bronchitis. Sie ist froh. • 5. Sie muss viel husten. Sie hat starke Schmerzen.

7b **Tabelle:**

1. Hauptsatz	2. Hauptsatz		
2. Ihr Hausarzt vermutet eine Lungenentzündung,	daher	muss	sie eine Röntgenaufnahme machen.
3. Der Hausarzt hat keinen Röntgenapparat,	deswegen	muss	sie zum Internisten gehen.
4. Sie hat nur eine Bronchitis,	deshalb	ist	sie froh.
5. Sie muss viel husten,	darum	hat	sie starke Schmerzen.

7c **Tabelle:**

1. Hauptsatz	2. Hauptsatz		
2. Sie hat eine schwere Bronchitis.	Deshalb	ist	sie für 10 Tage krankgeschrieben.
3. Die Chefin braucht den Katalog bei ihrer Dienstreise.	Deswegen	muss	Anton sich um ihn kümmern.
4. Anton kann die Unterlagen nicht auf Veras Schreibtisch finden.	Darum	ruft	er sie an.
5. Er muss für Vera viele Aufgaben erledigen.	Daher	macht	er viele Überstunden.

7d **Markierungen und Sätze:** 3. es – dringend – sehr – sein • Es ist sehr dringend, deshalb muss der Vertreter das erledigen. • 4. viele Arbeitnehmer – nicht – fehlen – wollen • Viele Arbeitnehmer wollen nicht fehlen, daher gehen sie krank zur Arbeit. • 5. die Arbeitnehmer – ihre Arbeit – pünktlich – erledigen – wollen • Viele Arbeitnehmer wollen ihre Arbeit pünktlich erledigen, deshalb machen sie Überstunden. • 6. Büroangestellte – oft – Rückenbeschwerden – haben • Büroangestellte haben oft Rückenbeschwerden, daher ist eine gute Sitzposition sehr wichtig. • 7. gesunde Arbeitnehmer – besser – arbeiten • Gesunde Arbeitnehmer arbeiten besser, daher gibt es heute in vielen Unternehmen Sportprogramme. • 8. viele – durch Sport – besser – sich fühlen • Viele fühlen sich durch Sport besser, daher nehmen sie gern am Sportprogramm teil.

Kapitel 3

Wortschatz und Schreiben

1a **A:** 2. erwirtschaftet • 3. vertreibt • 4. anbieten • **B:** 2. herstellen • 3. einstellen • 4. beliefert • **C:** 2. liefert • 3. verkauft • 4. wachsen

1b 3. gehören • gehören • 4. beliefern • beliefert • 5. einstellen • stellt • ein • 6. bestellen • bestellen • 7. annehmen • nimmt • an • 8. anbieten • bietet • an • 9. eröffnen • eröffnen

1c 2. erwirtschaftet • 3. ist • tätig • 4. handelt • 5. bestellt • 6. versorgt

2a 2. Zusatzausbildung • 3. Firmengruppe • 4. Spielwarenhersteller • 5. Gastronomiebetrieb • 6. Kreditinstitut • 7. Kundenbindung

2b 3. s • der Verkaufshit, -s • 4. s • das Handelsunternehmen, – • 5. n • die Spielwarenindustrie, -n • 6. s • der Vertriebsweg, -e • 7. s • der Wirtschaftsbereich, -e • 8. s • die Handwerkstradition, -en • 9. n • der Kundenservice, -s • 10. s • das Qualitätsbier, -e • 11. s • die Geschäftsidee, -n • 12. s • der Finanzierungsplan, ̈e

3 2a • 3c • 4b • 5a • 6c • 7a

4a 2E • 3D • 4H • 5A • 6G • 7C • 8F

4b *Mögliche Lösung:* Wir sind Silvia und Ines Lösch. Wir möchten einen Laden für Backwaren eröffnen. Unsere Idee ist Brot, Brötchen und Gebäck herzustellen und unsere Produkte in unserem Laden zu verkaufen. Unser Unternehmen heißt Silvis & Ines' Backladen. Der Markt ist interessant, weil es in der Nähe Unternehmen mit vielen Angestellten gibt, an die wir unsere Produkte verkaufen können. Als Startkapital bringen wir 25.000 Euro Eigenkapital und 13.000 Euro als Sachwerte, also der Ladeneinrichtung, mit.

5a 2. die Selbstständigkeit (kein Pl.) • 3. die Fähigkeit, -en • 4. die Freundlichkeit, -en • 5. die Öffentlichkeit (kein Pl.) • 6. die Tätigkeit, -en

5b **Regel:** b • -en

6a 2. Handelsgesellschaft • 3. Gesellschaftsform • 4. Firmeninhaber • 5. Mitinhaber • 6. Firmenvermögen • 7. Privatvermögen • 8. Gesellschaftsvermögen

6b 2F • 3A • 4C • 5B • 6E

6c 2. der Ansprechpartner • 3. die Rechtsform • 4. die Haftung • 5. der Versandhandel

6d 2. a • c • 3. a • b • 4. b • c • 5. a • c • 6. a • c • 7. b • c • 8. a • b

Grammatik

1a 4. vorzustellen • 5. zu erzählen • 6. zu beliefern • 7. einzuplanen • 8. zu experimentieren • 9. mitzubringen • 10. zu vermarkten

1b 4. Sie haben vor, der Bank ihre Geschäftsidee gut vorzustellen. • 5. Sie beabsichtigen, einen Kredit aufzunehmen. • 6. Sie sind sicher, gute Bierbrauer zu sein. • 7. Sie haben vor, mit dem Geld eine alte Brauerei zu modernisieren. • 8. Sie planen, neue Maschinen zu kaufen. • 9. Sie erwarten, bald einen hohen Umsatz zu erzielen. • 10. Sie versprechen, den Kredit pünktlich zurückzuzahlen. • 11. Sie planen, neue Biermarken zu erfinden. • 12. Sie beschließen, bald mit der Rückzahlung des Kredits anzufangen. • 13. Sie wünschen sich, das Unternehmen lange weiterzuführen.

2a 2. Sie interessieren sich dafür, ein Ladenlokal zu mieten und Bier zu verkaufen. • 3. Sie glauben daran, mit ihrer Geschäftsidee Erfolg zu haben.

2b 2. Sie denken darüber nach, einen Kredit aufzunehmen. • 3. Sie hoffen darauf, bald schuldenfrei zu sein.

3a **Markierungen:** 1b. Die Gründer wünschen sich, erfolgreich zu sein. • 2a. Die Gründerinnen haben beschlossen, dass sie einen Teil ihres Gewinns zurücklegen. • 2b. Die Gründerinnen haben beschlossen, einen Teil ihres Gewinns zurückzulegen.
Regel: a

3b 2. Die Mitarbeiter wünschen sich, dass das Team nett ist. • 3. Alle hoffen, dass das Unternehmen erfolgreich ist. • 4. Alle hoffen, dass sie Gewinn machen. • 5. Die Mitarbeiter beschließen, dass sie Überstunden machen.

3c 3. (Diesen Satz kann man nicht mit „zu" umformulieren, da in Haupt- und Nebensatz zwei verschiedene Subjekte.) • 4. Alle hoffen, Gewinn zu machen. • 5. Die Mitarbeiter beschließen, Überstunden zu machen.

4a **1. „Es ist" + Adjektiv:** Es ist (nicht) gut, … • Es ist interessant, … • Es ist schwierig, … • Es ist (nicht) wichtig, … • **2. Nach Ausdrücken:** Man hat Angst, … • Es ist (keine) Zeit, … • Es gefällt mir, … • Das Ziel ist, … • **3. Nach Verben der Absicht, des Wunsches, der Emotion:** Wir freuen uns, … • Wir planen, … • Ich wünsche mir, … • Wir haben vor, …

4b 2a. Brot selbst herzustellen. • 2b. dass eine Bäckerei das Brot bäckt. • 3a. dass die Ladenmiete preiswert ist. • 3b. eine gute Immobilie zu finden.

5a/b **Markierungen und Sätze:** 2. Das Gründerteam freut sich, den Finanzierungsplan der Bank vorstellen zu dürfen. • Das Gründerteam freut sich, dass es den Finanzierungsplan der Bank vorstellen darf. • 3. Das Gründerteam hat Angst, sehr hohe Zinsen zahlen zu müssen. • Das Gründerteam hat Angst, dass es sehr hohe Zinsen zahlen muss. • 4. Das Gründerteam ist sicher, bald gute Mitarbeiter auswählen und einstellen zu können. • Das Gründerteam ist sicher, dass es bald gute Mitarbeiter auswählen und einstellen kann.
Regel: a

6a **Tabelle: Präsens:** kannst • kann • können • könnt • können • **Präteritum:** konntest • konnte • konnten • konntet • konnten • **Konjunktiv II:** könntest • könnte • könnten • könntet • könnten

6b **Tabelle: Präsens:** soll • sollst • sollen • sollt • sollen • **Präteritum:** sollte • solltest • sollten • solltet • sollten • **Konjunktiv II:** sollte • solltest • sollten • solltet • sollten

6c **Regeln:** 1b • 2a

6d **Markierungen:** 2. Sie kann sich an die IHK wenden. • 3. Die Sachbearbeiterin kann ihr helfen. • 4. Frau Skopp soll auch einen Finanzplan machen. • 5. Schon nach sechs Monaten kann sie ihr Unternehmen anmelden.

6e **Tabelle:**

Position 1	Position 2: Modalverb		Satzende: Vollverb
2. Unternehmensgründer	können	auf Gründerportalen Hilfe	bekommen.
3. Bei der IHK	kann	man Beratung	finden.
4. Ohne Eigenkapital	kann	man keinen Kredit	bekommen.
5. Über mögliche Rechtsformen	soll	man sich früh	informieren.

7 3. E • 4. BR • 5. E • 6. BR • 7. BR

8a **Tabelle: Präsens:** wirst • wird • werden • werdet • werden • **Präteritum:** wurdest • wurde • wurden • wurdet • wurden • **Konjunktiv II:** würdest • würde • würden • würdet • würden

8b **Regel:** Umlaut

9a 2E • 3D • 4B • 5A

9b **Markierungen:** C. Wenn ich Sie wäre, würde ich ein Gründerseminar besuchen. • D. An Ihrer Stelle würde ich keinen hohen Kredit aufnehmen.

9c 2. An Ihrer Stelle würde ich einen Finanzplan machen. • 3. Ich würde mein Kapital zusammenrechnen. • 4. Wenn ich Sie wäre, würde ich ein Gründerportal im Internet besuchen. • 5. An Ihrer Stelle würde ich eine gute Konzeptpräsentation vorbereiten. • 6. Ich würde eine professionelle Beratung suchen.

9d 2. Sie könnten beim Jobcenter und bei der IHK nachfragen. • 3. Sie sollten Ihr Startkapital ausrechnen. • 4. Sie könnten Mitgründer mit Geld suchen. • 5. Sie sollten nicht das gesamte Kapital von der Bank leihen.

Kapitel 4

Wortschatz und Schreiben

1a 2. der Nachname • 3. der Vorname • 4. die Straße • 5. die Hausnummer • 6. die Postleitzahl • 7. die Stadt • 8. die E-Mail-Adresse • 9. die Internetadresse

1b 2D • 3F • 4A • 5B • 6C

1c 2. at • 3. Bindestrich / minus • 4. Schrägstrich / slash • 5. Unterstrich / underscore

1d 2D • 3A • 4C • 5B • 6E • 7G

2a 2. sprechen • 3. verbinden • 4. erreichen • 5. ist • 6. ist • 7. weiterhelfen • 8. ausrichten • 9. hinterlassen • 10. zurückrufen • 11. bitten • 12. melde

2b B. Ja, gern. Was soll ich ihr denn ausrichten? • C. Tut mir leid, aber Herr Noll ist heute außer Haus. • D. Hier Peka GmbH, Zentrale, Lisa Auer am Apparat. Was kann ich für Sie tun? • E. Könnten Sie Frau Weber bitte eine Nachricht hinterlassen? • F. Kann ich dann vielleicht Frau Weber sprechen? • G. Einen Moment, bitte. Frau Weber ist leider nicht am Platz. • H. Richten Sie ihr bitte aus, dass sie mich dringend zurückrufen soll. Mein Name ist …

2c 3C • 4F • 5G • 6E • 7B • 8H

3 *Mögliche Lösung:* **Situation 1:** Polat: Herr Mirek ist leider außer Haus. • Denzel: Könnten Sie Herrn Mirek bitte etwas ausrichten? • Polat: Ja gern, was soll ich ihm denn ausrichten? • Denzel: Richten Sie ihm bitte aus, dass ich nicht am Meeting teilnehmen kann. • Polat: Das mache ich. • Denzel: Vielen Dank und auf Wiederhören. • Polat: Auf Wiederhören.
Situation 2: Polat: Ja, einen Moment, ich verbinde Sie. Bei Herrn Mirek ist leider besetzt. Worum geht es, kann ich etwas ausrichten? • Denzel: Ja, gern. Richten Sie ihm bitte aus, dass er mich zurückrufen soll. Könnten Sie mir bitte auch seine Durchwahlnummer geben? • Polat: Ja, natürlich. Die Durchwahl ist die 354. • Denzel: Vielen Dank und auf Wiederhören. • Polat: Auf Wiederhören.

4 2. Wir müssen noch einen Termin vereinbaren. • 3. Leider muss ich unseren Termin am 14.06. absagen. • 4. Können wir unseren Termin von Montag auf Dienstag verschieben? • 5. Für unsere Besprechung kann ich Ihnen folgende Termine vorschlagen: … • 6. Unser Termin am Montag um 15:00 Uhr muss leider ausfallen.

5 2. richtig • 3. verstanden • 4. wiederholen • 5. klar • 6. mal

6 2. Ich melde mich wegen des Termins am 17.4. • 3. Leider haben wir an dem Tag eine Besprechung mit dem Geschäftsführer. • 4. Könnten wir den Termin verschieben? • 5. Ich könnte am 19.4. oder 20.4. • 6. Rufen Sie mich bitte unter meiner Mobilnummer zurück: … • 7. Sie können mir auch eine E-Mail schicken. Meine E-Mail-Adresse ist … • 8. Vielen Dank und auf Wiederhören.

7a 2D • 3B • 4G • 5E • 6A • 7F

7b 2. Könnten Sie Frau … bitte etwas ausrichten? • 3. Entschuldigung, wie war Ihr Name? • 4. Wohin soll ich alles schicken? • 5. Könnte ich mit Frau … sprechen? • 6. Wie kann ich Sie erreichen? • 7. Könnten Sie Frau … sagen, dass …?

Grammatik

1a 1a. Frau Falk konnte den Termin mit Frau Haik verschieben. • 2b. Frau Falk kann Französisch nicht gut schreiben. • 3a. Frau Falk musste den Termin für das Vorstellungsgespräch absagen. • 3b. Frau Falk muss Frau Haik nicht noch einmal anrufen. • 4a. Frau Falk darf erst im November Urlaub nehmen, weil im Oktober eine große Konferenz stattfindet. • 4b. Frau Schulz darf bis Ende der Woche nicht zur Arbeit gehen, weil sie krankgeschrieben ist. • 5b. Frau Haik möchte nicht, dass das Meeting am Montag stattfindet. • 6a. Frau Schulz will, dass Frau Falk das Vorstellungsgespräch absagt. • 6b. Frau Schulz will nicht, dass man sie anruft. • 7a. Herr Müller mochte schon immer gern auf Dienstreisen fahren. • 8b. Frau Haik, Sie sollen Frau Falk dringend zurückrufen. • 9. Frau Schulz soll im Bett bleiben und viel schlafen. • 10. Wollen/Sollen wir direkt einen Termin vereinbaren? • Soll ich einen neuen Termin für das Meeting vereinbaren?

1b **Tabelle: müssen: Präsens:** musst • muss • müssen • müsst • müssen • **Präteritum:** musstest • musste • mussten • musstet • mussten • **Konjunktiv II:** müsstest • müsste • müssten • müsstet • müssten •
dürfen: Präsens: darf • darfst • dürfen • dürft • dürfen • **Präteritum:** durfte • durftest • durften • durftet • durften • **Konjunktiv II:** dürfte • dürftest • dürften • dürftet • dürften •
wollen: Präsens: will • will • wollen • wollt • wollen • **Präteritum:** wollte • wollte • wollten • wolltet • wollten • **Konjunktiv II:** wollte • wollte • wollten • wolltet • wollten •
mögen: Präsens: magst • mag • mögen • mögt • mögen • **Präteritum:** mochtest • mochte • mochten • mochtet • mochten • **Konjunktiv II:** möchtest • möchte • möchten • möchtet • möchten

1c **Regeln:** 1b • 2a

2 2. Dürfte ich Sie bitten, Frau Haik eine Nachricht zu hinterlassen? • 3. Ich müsste dringend mit Frau Haik sprechen. • 4. Frau Haik möchte mich bitte zurückrufen. • 5. Könnte ich einen Termin für nächste Woche vereinbaren?

3a **Tabellen: haben: Präteritum:** hattest • hatte • hatten • hattet • hatten • **Konjunktiv II:** hättest • hätte • hätten • hättet • hätten •
sein: Präteritum: war • waren • wart • waren • **Konjunktiv II:** wäre • wären • wär(e)t • wären •
Regel: -e

3b 2. Wärst du so nett, für mich das Vorstellungsgespräch mit Herrn Vega zu vereinbaren? • 3. Wären Sie so freundlich, Frau Haik

etwas auszurichten? • 4. Ich hätte da noch eine Frage. • 5. Wäre es möglich, den Termin für unsere Besprechung auf den Nachmittag zu verschieben?

3c 2. Würden • verbinden • 3. Würdest • anrufen • 4. würden • übernehmen • 5. Würden • ausrichten • 6. würde • verschieben

4a 2. ob ich den Termin verschieben kann • 3. ob Frau Schulz noch krank ist • 4. ob die Sitzung morgen stattfindet • 5. ob wir schon mit der Projektplanung beginnen sollen

4b 2. Könnten Sie mir sagen, wann Frau Bay von ihrer Dienstreise zurückkommt? • 3. Können Sie mir zeigen, wo das Büro vom Vertriebsleiter ist? • 4. Wissen Sie, um wie viel Uhr unsere Geschäftspartner in Frankfurt landen? • 5. Ich möchte Sie fragen, welche Aufgaben die Praktikantin in unserem Projekt übernehmen soll.

4c **Markierungen und Sätze:** 2. ▶ Worum ging es in der Besprechung? • ▶ In der Besprechung ging es um das neue Projekt. • 3. ▶ Womit sind Sie nicht zufrieden? • ▶ Ich bin mit der Organisation nicht zufrieden. • 4. ▶ Wofür ist Frau Mahler zuständig? • ▶ Frau Mahler ist für das Controlling zuständig.

4d 2. worum es in der Besprechung ging • 3. womit Sie nicht zufrieden sind • 4. wofür Frau Mahler zuständig ist

4e **Markierungen und Sätze:** 2. ▶ Wegen des Termins können Sie sich mit Frau Brehmer in Verbindung setzen. • Präp. + D • ▶ mit wem ich mich wegen des Termins in Verbindung setzen kann • 3. ▶ In dem Fall können Sie sich bei Herrn Wick vom Kundenservice beschweren. • Präp. + D • ▶ bei wem ich mich in dem Fall beschweren kann • 4. ▶ Das Team hat sich für Frau Ilg als Teamsprecherin entschieden • Präp. + A • ▶ für wen sich das Team als Teamsprecherin entschieden hat

4f 3. bei wem ich nachfragen kann • 4. was wir auf der Tagung besprechen • 5. worüber wir sprechen wollen • 6. ob Herr Jonas wieder im Büro ist

4g *Mögliche Lösung:* 2. Ich gebe Ihnen später Bescheid, ob wir das Treffen verschieben können. • 3. Leider weiß ich nicht, bei wem Sie nachfragen können. • 4. Leider kann ich Ihnen noch nicht sagen, was wir auf der Tagung besprechen. • 5. Ich weiß auch noch nicht, worüber wir sprechen wollen. • 6. Frag am besten bei der Assistenz, ob Herr Jonas wieder im Büro ist.

5a **Tabelle:**

Position 1	Position 2: „lassen"		Satzende: Vollverb
2. Frau Falk	lässt	sich mit der IT-Abteilung	verbinden.
3. Herr Müller	lässt	sich den Namen von Frau Falk	buchstabieren.
4. Frau Schulz	lässt	das Vorstellungsgespräch mit Herrn Vega	verschieben.
5. Frau Falk	lässt	die Unterlagen für das Meeting	kopieren.

5b 2. lässt • 3. lässt • 4. lassen • 5. lasst • 6. lassen • 7. lassen

5c 1. 3, 5, 7 • 2. 4, 6

5d 2. Lass uns das Projekt übernehmen. • 3. Lass Frau Amos das Angebot schreiben. • 4. Lass die Teammitglieder zuerst über den Vorschlag diskutieren. • 5. Lass mich die Dienstreise nach Asien machen.

Kapitel 5

Wortschatz und Schreiben

1 2. der Druck, die Drucke • 3. der Plan, die Pläne • 4. der Vortrag, die Vorträge • 5. der Gewinn, die Gewinne • 6. der Vorschlag, die Vorschläge • 7. der Auftrag, die Aufträge • 9. der Gang, die Gänge • 10. der Stand, die Stände • 11. der Beschluss, die Beschlüsse • 12. der Vertrieb, die Vertriebe • 13. der Wunsch, die Wünsche • 14. der Versand (kein Plural)

2a 2. die Messeeinladung, die Messeinladungen • 3. das Messegeschenk, die Messegeschenke • 4. die Messekleidung, die Messekleidungen • 5. die Messeplanung, die Messeplanungen • 6. der Messestand, die Messestände • 7. das Messeteam, die Messeteams • 8. der Messetermin, die Messetermine • 9. die Messetheke, die Messetheken • 10. die Messewand, die Messewände

2b 2. Messeplanung • 3. Messestand • Messetheke • Messewand • 4. Messeeinladungen • Messegeschenk • 5. Messeteams • Messekleidung • 6. Messetermin

3a **Tipp:** letzten •
Nomen: 3. die Standdiensteinteilung, -en • 4. das Messeausstellungsstück, -e • 5. der Standpersonalabend, -e • 6. die Besprechungsraumreservierung, -en • 7. der Eintrittskartengutschein, -e • 8. der Messestandaufbau, -ten • 9. die Hotelzimmerkategorie, -n

3b 2. der Bogen für Messekontakte • 3. die Einteilung für den Standdienst • 4. das Stück für die Messeausstellung • 5. der Abend für das Standpersonal • 6. die Reservierung des Besprechungsraums • 7. der Gutschein für die Eintrittskarte • 8. der Aufbau des Messestands • 9. die Kategorie des Hotelzimmers

4 3. Sie muss die Einschreibegebühr überweisen. • 4. Sie muss die Standkonzeption planen. • 5. Sie muss die Vitrinentheken bestellen. • 6. Sie muss die Ausstellungsstücke auswählen. • 7. Sie muss das Personal einteilen. • 8. Sie muss die Eintrittskartengutscheine versenden. • 9. Sie muss die Messebaufirma beauftragen.

5a 2. die Rückfahrt, -en • 3. die Rücksendung, -en • 4. der Rückruf, -e

5b **Regel:** Rück-

6a 2. konzipieren • 3. inszenieren • 4. interessieren • 5. sich orientieren • 6. visualisieren • 7. funktionieren • 8. notieren

6b 2. Aufmerksamkeit • Interesse • 3. Eindruck • 4. in seinem Element • 5. im Mittelpunkt • 6. Bescheid

6c **A:** 2. konzipieren • 3. inszenieren • 4. steht • 5. orientiert • **B:** 6. interessiert • 7. seinem Element • 8. Interesse • 9. Aufmerksamkeit • **C:** 10. visualisiert • **D:** 11. Präsentation • 12. Eindruck • 13. Bescheid

7a 2C • 3D • 4A • 5F • 6E

7b 2. Damit wir weiterkommen, möchte ich folgenden Vorschlag machen. • 3. Darf ich dazu eine Idee äußern? • 4. Entschuldigen Sie, hier habe ich einen Einwand. • 5. Ich schlage vor, dass wir jetzt eine Entscheidung treffen.

8a 3. neu | Kunden | Gewinnung • 4. Image | Verbesserung • 5. Verkauf(s) | Abschlüsse • 6. Vertrag(s) | Abschlüsse • 7. Kooperation(s) | Partner • 8. Markt | Forschung

8b 3. Gewinnung von neuen Kunden • 4. Verbesserung des Images • 5. Abschlüsse von Verkäufen • 6. Abschlüsse von Verträgen • 7. Partner, mit denen man kooperiert • 8. (Er)forschung des Marktes

Grammatik

1a **Tabelle:** wirst angerufen • wird angerufen • werden angerufen • werdet angerufen • werden angerufen

1b **Regel:** b

1c 2. ihr werdet beauftragt • 3. ich werde abgeholt • 4. wir werden gefragt • 5. du wirst vergessen • 6. er wird angeschlossen • 7. es wird gelesen • 8. sie werden abgeladen

2a **Markierungen:** 2. Sie bauen heute den Messestand auf. • 3. Ein Mitarbeiter präsentiert den Stift mit einem Film.

2b **Regeln:** 1a • 2a

2c **Tabelle:**

Position 1	Position 2: Form von „werden"		Satzende: Partizip II
3. Der Stift	wird	von einem Mitarbeiter mit einem Film	präsentiert.

2d **Passiv:** Der Stift • von einem Mitarbeiter

2e/f **Markierungen und Sätze:** 2. Die Benutzer tippen handschriftliche Notizen nicht mehr ab. → Handschriftliche Notizen werden von den Benutzern nicht mehr abgetippt. • 3. Die Benutzer schließen den digitalen Stift per USB an den Computer an. → Der digitale Stift wird von den Benutzern per USB an den Computer angeschlossen. • 4. Eine ganz neue Software überträgt die Notizen. → Die Notizen werden von einer ganz neuen Software übertragen. • 5. Sie erkennt jede Handschrift. → Jede Handschrift wird von ihr erkannt. • 6. Mitarbeiter des Kundendienstes benutzen den Stift besonders gern. → Der Stift wird von Mitarbeitern des Kundendienstes besonders gern benutzt.

2g 3. Der digitale Stift wird ~~von den Benutzern~~ per USB an den Computer angeschlossen. • 4. Die Notizen werden von einer ganz neuen Software übertragen. • 5. Jede Handschrift wird ~~von ihr~~ erkannt. • 6. Der Stift wird von Mitarbeitern des Kundendienstes besonders gern benutzt.

3a **Markierungen:** 2. Das Angebot wird unserem Kunden, Herrn Berg, noch heute geschickt.
Regel: a

3b **Markierungen und Sätze:** 3. Unser Unternehmen behandelt den Kunden sehr gut. → Der Kunde wird von unserem Unternehmen sehr gut behandelt. • 4. Unser Unternehmen gibt dem Kunden einen Sonderrabatt. → Dem Kunden wird (von unserem Unternehmen) ein Sonderrabatt gegeben. • 5. Wir informieren ihn über Neuigkeiten. → Er wird (von uns) über Neuigkeiten informiert. • 6. Wir antworten ihm sofort auf seine Anfragen. → Ihm wird (von uns) sofort auf seine Anfragen geantwortet. • 7. Wir schicken dem Geschäftsführer oft Werbegeschenke. → Dem Geschäftsführer werden (von uns) oft Werbegeschenke geschickt. • 8. Wir laden ihn zu allen VIP-Abenden ein. → Er wird (von uns) zu allen VIP-Abenden eingeladen.

4a **Tabelle:** **du:** wurdest begrüßt • bist begrüßt worden • **er / sie / es:** wurde gefragt • ist gefragt worden • **ihr:** wurdet abgeholt • seid abgeholt worden • **sie / Sie:** wurden beauftragt • sind beauftragt worden

4b 3. Wir wurden zum Standdienst eingeteilt. • 4. Ich bin zum VIP-Abend eingeladen worden. • 5. Du wurdest mit der Präsentation beauftragt. • 6. Die Möbel sind verpackt worden. • 7. Die Laptops wurden mitgenommen. • 8. Die Prospekte sind gedruckt worden. • 9. Das Logo ist vergessen worden. • 10. Alle Einzelheiten wurden genau geplant. • 11. Der Flyer ist leider nicht korrigiert worden. • 12. Alles andere wurde perfekt erledigt.

5a Tabelle:

Position 1	Position 2: konjugiertes Verb		Satzende: 2. Verbteil
2. Die Firma Löw	bestätigte	den Auftrag noch am selben Tag.	
3. Am 28. Juli	lieferte	sie eine defekte Theke	an.
4. Der zuständige Mitarbeiter	reklamierte	den Schaden umgehend.	
5. Bis heute	reagierte	die Firma Löw nicht auf unsere Reklamation.	

5b Tabelle:

Position 1	Position 2: „wurde"		Satzende: Partizip II
2. Der Auftrag	wurde	von der Firma Löw noch am selben Tag	bestätigt.
3. Am 28. Juli	wurde	~~von ihr~~ eine defekte Theke	angeliefert.
4. Der Schaden	wurde	von dem zuständigen Mitarbeiter umgehend	reklamiert.
5. Bis heute	wurde	von der Firma Löw nicht auf unsere Reklamation	reagiert.

5c 2. Die Reservierung von neun Einzelzimmern wurde telefonisch bestätigt. • 3. Aber vom Rezeptionisten des Hotels wurden sieben Einzelzimmer und ein Doppelzimmer gebucht. • 4. Eine Woche später wurde (von uns) die falsche Buchung reklamiert. • 5. Danach wurde (vom Hotel) ein zweites Doppelzimmer reserviert. • 6. Die Zahlung des Mehrpreises für zwei Doppelzimmer wurde von uns abgelehnt. • 7. Und unsere Rechtsabteilung wurde von unserem Geschäftsführer mit der Lösung des Problems beauftragt.

6a Tabelle:

Position 1	Position 2: konjugiertes Verb		Satzende: Partizip II
3. Den Stand	haben	wir vor zwei Tagen	angemeldet.
4. Die Standausstattung	haben	wir bei der Firma Günter	bestellt.
5. Wir	haben	bei verschiedenen Messebaufirmen Angebote	eingeholt.
6. Wir	haben	schon vieles	erledigt.

6b Tabelle:

Position 1	Position 2: konjugiertes Verb		Satzende: Partizip II + „worden"
2. Die Standgröße	ist	auch schon	festgelegt worden.
3. Der Stand	ist	vor zwei Tagen	angemeldet worden.
4. Die Standausstattung	ist	bei der Firma Günter	bestellt worden.
5. Bei verschiedenen Messebaufirmen	sind	Angebote	eingeholt worden.
6. Vieles	ist	schon	erledigt worden.

6c 3. P • Ist • überwiesen worden • 4. A • haben • gemacht • 5. A • haben • bestellt • 6. P • sind • installiert worden • 7. A • haben • angerufen

7a Tabelle: **Präsens: können:** kannst • kann • könnt • können • **müssen:** musst • muss • müsst • müssen • **dürfen:** darfst • darf • dürft • dürfen • **sollen:** sollst • soll • sollt • sollen • **Präteritum: können:** konntest • konnte • konnten • konntet • konnten • **müssen:** musstest • musste • mussten • musstest • mussten • **dürfen:** durftest • durfte • durften • durftet • durften • **sollen:** solltest • sollte • sollten • solltet • sollten

7b Markierungen: 2. Vom Flyer sollen 2.000 Exemplare gedruckt werden. • 3. Die Einladungen für den VIP-Abend können noch nicht verschickt werden. • 4. Zum VIP-Abend dürfen nur 100 Gäste eingeladen werden. •

Tabelle:

Präsens	Position 2: Modalverb		Satzende: Partizip II + „werden"
2. Vom Flyer	sollen	2.000 Exemplare	gedruckt werden
3. Die Einladungen für den VIP-Abend	können	noch nicht	verschickt werden
4. Zum VIP-Abend	dürfen	nur 100 Gäste	eingeladen werden.

7c Tabelle:

Präteritum	Position 2: Modalverb		Satzende: Partizip II + „werden"
2. Vom Flyer	sollten	2.000 Exemplare	gedruckt werden
3. Die Einladungen für den VIP-Abend	konnten	noch nicht	verschickt werden
4. Zum VIP-Abend	durften	nur 100 Gäste	eingeladen werden.

7d 2. Zwei Parkausweise sollen bestellt werden. • 3. Die Messekleidung kann kurzfristig geliefert werden. • 4. Die Liste muss bis 15:00 Uhr überprüft werden.

7e 2. Zwei Parkausweise sollten bestellt werden. • 3. Die Messekleidung konnte kurzfristig geliefert werden. • 4. Die Liste musste bis 15:00 Uhr überprüft werden.

Kapitel 6

Wortschatz und Schreiben

1 3. der Installateur, -e/die Installateurin, -nen • 4. der Bauer, -n/die Bäuerin, -nen (in der Landwirtschaft)/der Bauer, –/die Bauerin, -nen (am Bau) • 5. der Gründer, -/die Gründerin, -nen • 6. der Unternehmer, -/die Unternehmerin, -nen • 7. der Jongleur, -e/die Jongleurin, -nen • 8. der Verbraucher, -/die Verbraucherin, -nen • 9. der Hersteller, -/die Herstellerin, -nen • 10. der Trainer, -/die Trainerin, -nen

2a 2. der Malerbetrieb, -e • 3. das Gründerforum, -foren • 4. der Spielwarenhersteller, – • 5. der Fitnesstrainer, – • 6. die Badeinrichtung, -en • 7. der Fliesenleger, – • 8. das Waschbecken, – • 9. die Badewanne, -n • 10. der Franchisegeber, – • 11. der Braumeister, – • 12. der Lieferschein, -e • 13. der Trockenbauer, – • 14. der Großunternehmer, – • 15. der Kleintransporter, – • 16. der Sanitärinstallateur, -e • 17. die Rohmontage, -n • 18. die Elektroinstallation, -en

2b 3. die • das Bad + die Einrichtung = die Einrichtung des Bades • 4. die • die Wand + die Verkleidung = die Verkleidung der Wand • 5. die • das Wasser + die Leitung = die Leitung für das Wasser • 6. die • das Handwerk + die Leistung = die Leistung eines Handwerkers

3a 2. die Personalbereitstellung, -en • 3. die Materialbestellung, -en • 4. die Zahlungsbedingung, -en • 5. das Rechnungsdatum, -daten • 6. die Auftragserteilung, -en • 7. die Auftragssumme, -n • 9. der Gesamtpreis, -e • 10. die Fertigstellung, -en

3b 2. die Auftragserteilung • 3. die Materialbestellung • 4. die Personalbereitstellung • 5. das Rechnungsdatum • 6. die Kundennummer • 7. der Einzelpreis • 8. der Gesamtpreis • 9. die Zahlungsbedingung • 10. die Fertigstellung

4 2. Angebot • 3a. sichern • 3b. zu • 4. fachgerechtes • 5. gültig • 6. Auftragserteilung • 7. Abschluss • 8. Fertigstellung • 9. zusagt • 10. erhalten

5a 2. der Rechnungserhalt • 3. die Handwerkerrechnung • 4. die Rechnungsnummer • 5. die Schlussrechnung

5b b • d • e • f • g

5c 2. richtet sich nach • 3. erstellt • 4. bezieht sich • 5. ist zahlbar • 6. bezahlt

6a 2. die Ausführung, -en • der Termin, -e • der Ausführungstermin, -e • 3. das Inland (kein Pl.) • die Überweisung, -en • die Inlandsüberweisung, -en • 4. das Konto, Konten • der Inhaber, – • der Kontoinhaber, – • 5. der Kredit, -e • das Institut, -e • das Kreditinstitut, -e • 6. die Pflicht, -en • das Feld, -er • das Pflichtfeld, -er • 7. die Verwendung, -en • der Zweck, -e • der Verwendungszweck, -e

6b 2. die • -en • der • der Zahlungsverkehr (kein Pl.) • 3. die • -en • das • -e • das Lastschriftmandat, -e • 4. die • -en • der • – • der Zahlungsempfänger, – • 5. die • -en • das • Konten • das Bankkonto, -konten

6c 3. erhalten • 4. überweisen • 5. verwenden • 6. empfangen

6d 2a • 3a • 4b • 5b • 6b

7a 2a • 3b • 4a

7b 2. Der Händler haftet nur für einen Mangel, der schon zum Zeitpunkt des Kaufs besteht. • 3. Die Garantie ist eine freiwillige Leistung: der Hersteller legt fest, für welche Ware sie gilt. • 4. Der Händler kann für eine Garantieverlängerung einen Betrag verlangen.

8 *Mögliche Lösung:* Sehr geehrter Herr Unger,
leider habe ich einen Mangel festgestellt: Die Armatur der Badewanne ist defekt. Die Regelung für das warme Wasser funktioniert nicht. Es kommt nur sehr heißes Wasser. Bitte schicken Sie möglichst schnell einen Techniker. Vereinbaren Sie dafür bitte einen Termin mit mir. Ich warte auf Ihren Anruf. Aber abgesehen davon bin ich sehr zufrieden mit dem neuen Bad.
Mit freundlichen Grüßen
Maxi Müller

Grammatik

1a **Markierungen:** 2. Ich habe lange nachgedacht. Die Arbeiten sind gut abgelaufen. • 3. Wir haben alles besprochen. Dann sind wir verreist.
Regel: a

1b **Tabelle:**

Position I	Position 2		Satzende
3. Sie	hat	alles mit ihm	besprochen.
4. Nach dem Gespräch	ist	Herr Unger ins Büro	zurückgefahren.
5. Frau Herz	hat	sich später anders	entschieden.
6. Sie	hat	im Büro von Herrn Unger	angerufen.
7. Im Gespräch	hat	sie neues Badzubehör	ausgewählt.

1c 2. haben • gemacht • 3. hat • demontiert • 4. Haben • entsorgt • 5. haben • gereinigt • 6. haben • gearbeitet • 7. sind • geblieben • 8. sind • weggegangen • 9. habe • getroffen

2a 2. du montiertest • 3. er wartete • 4. es trocknete • 5. wir schauten nach • 7. sie dachten nach • 8. Sie kannten • 9. man hatte • 10. er fuhr • 11. wir schrieben • 12. sie aß • 13. er entschied • 14. du besprachst • 15. wir schlugen vor • 16. ihr gingt weg • 17. es kam mit • 18. Sie sahen an

2b 2. hatten • 3. benutzten • 4. war • 5. gab • 6. wartete • 7. war • 8. hatten • 9. waren • 10. dachte • 11. fehlte • 12. machte • 13a. schlug • 13b. vor • 14. entschied

3a **Verben mit „haben":** du hattest vorgeschlagen • er / sie / es hatte entschieden • wir hatten angesehen • ihr hattet gewartet • sie / Sie hatten durchgegeben • **Verben mit „sein":** du warst gefahren (in Kombination mit Akk-Ergänzung: du hast (einen Mercedes) gefahren) • er / sie / es war getrocknet (in Kombination mit Akk-Ergänzung: wir haben (Wäsche) getrocknet) • wir waren mitgekommen • ihr wart gewesen • sie / Sie waren gestartet (in Kombination mit Akk-Ergänzung: sie haben (ein Programm) gestartet)

3b **Tabelle:**

Position I	Position 2		Satzende	
2. Herr Unger	war	schon ins Büro	zurück-gefahren,	dann …
3. Frau Herz	hatte	sich zuerst für eine andere Badeinrichtung	ent-schieden,	dann …
4. Herr Unger	war	als Erster im Büro	ange-kommen,	danach …

3c **Regel:** a

4a **Markierungen:** 2. Nachdem sie sich anders entschieden hatte, hat sie Herrn Unger angerufen. • 3. Frau Herz war froh, nachdem sie die Änderungen durchgegeben hatte. • 4. Die Arbeiten sind gestartet, nachdem Herr Unger weitere Änderungen vorgeschlagen hatte.

Tabellen:

Nebensatz			Hauptsatz	
2. Nachdem	sie sich anders	entschieden hatte,	hat	sie Herrn Unger angerufen.

Hauptsatz	Nebensatz		
4. Die Arbeiten sind gestartet,	nachdem	Herr Unger weitere Änderungen	vorgeschlagen hatte.

Regel: 1a

4b 2. Nachdem die Kundin das Angebot gelesen hatte, hatte sie noch Fragen. • 3. Nachdem der Fachmann die Fragen beantwortet hatte, hat er das Angebot geändert.

4c 2. Die Kundin hatte noch Fragen, nachdem sie das Angebot gelesen hatte. • 3. Der Fachmann hat das Angebot geändert, nachdem er die Fragen beantwortet hatte.

4d 2. Nachdem der Installateur die Badewanne hingestellt hatte, kam der Trockenbauer. • 3. Nachdem der Trockenbauer die Wandverkleidungen gemacht hatte, begann der Fliesenleger mit den Arbeiten. • 4. Nachdem der Fliesenleger alles gefliest hatte, strich der Maler das Bad. • 5. Nachdem alles getrocknet war, machten der Elektriker und der Installateur die Endmontage.

5a 1. am schönsten • 2. länger • 3. am teuersten • 4. flexibler • 5. preiswerter • 6. am ältesten • 7. heißer • 8. am kürzesten • 9. am hübschesten • 10. größer • 11. praktischer • 12. höher • 13. am nächsten • 14. am besten • 15. lieber • 16. am meisten

5b 3. - • 4. große • 5. unpraktische • 6. kleine • 7. - • 8. weiße • 9. - • 10. modernen • 11. breiten • 12. hohen • 13. - • 14. gute • 15. kompetenten • 16. netten • 17. - • 18. hübschen • 19. neuen

5c 3. teurer • 4. langsamer • 5. höher • 6. länger

5d 3. Das große Waschbecken ist leider viel teurer als das kleine. • 4. Der Trockenbauer arbeitete langsamer als der Installateur. • 5. Die zweite Rechnung war leider höher als die erste. • 6. Das zweite Beratungsgespräch dauerte viel länger als das erste.

6 3. Hoffentlich sind sie morgen genauso pünktlich da wie am ersten Tag. • 4. Die Badsanierung hat nicht so lange gedauert wie geplant. • 5. Ein Sanitärinstallateur verdient ungefähr so viel wie ein Heizungsmonteur.

7a 3. günstigeres • 4. schönere • 5. kompenteren • 6. längeren • 7. preiswerteste • 8. längste • 9. kürzesten • 10. neuesten • 11. flexibelste • 2. höchsten • 13. teuersten • 14. hübschesten • 15. praktischsten

7b **Nominativ:** günstigeres – das günstigste • preiswertere – das preiswerteste • längere – die längste • flexiblere – der flexibelste • **Akkusativ:** schönere – die schönste • kompenteren – den kompetentesten • höheren – den höchsten • prakticheren – die praktischsten • **Dativ:** kürzeren – dem kürzesten • neueren – der neusten • teureren – dem teuersten • hübscheren – dem hübschesten • **Genitiv:** längeren – der längsten

7c 4. günstiger • 5. sorgfältig • 6. flexibelsten • 7. länger • 8. pünktlich • 9. Zufriedener

Kapitel 7

Wortschatz und Schreiben

1 2. die Baugenehmigung, -en • 3. der Bauherr, -en • 4. die Baukosten (nur Pl.) • 5. der Baukredit, -e • 6. die Bauleistung, -en • 7. der Baumangel, ¨ • 8. der Bauplan, ¨e • 9. der Bauprozess, -e • 10. die Baustelle, -n

2a 3. die Erfassung, -en • 4. die Kalkulation, -en • 5. die Investition, -en • 6. die Genehmigung, -en • 7. die Kooperation, -en • 8. die Vereinbarung, -en • 9. die Konstruktion, -en • 10. die Unterstützung, -en

2b **Regeln:** 1. die • 2. -en

3 2a • 3b • 4a • 5b • 6a • 7a

4a 2. mit • 3. bei • 4. um • 5. um • 6. in • 7. mit • 8. über • 9. für

4b 3. die Ablage • 4. die Erstellung • 5. der Start • 6. die Prüfung/der Prüfer/die Prüferin • 7. das Protokoll • 8. der Bericht • 9. der Ablauf • 10. die Einführung

4c 3. Start • Ablauf • 4. Ablage • 5. Prüfung • 6. Einführung • 7. Erstellung

4d 2. Frau Hesse hat wenig Zeit, da sie mit der Planung des nächsten Projekts beschäftigt ist. • 3. Frau Kleinfeld ist nicht zufrieden mit ihrem Start im neuen Büro und dem Ablauf der Einarbeitung. • 4. Herr Stoll erklärt Frau Kleinfeld die Ablage der Unterlagen. • 5. Frau Martínez zeigt Frau Kleinfeld die Prüfung der Abrechnungen. • 6. Herr Kögel kümmert sich um die Einführung in die Software. • 7. Frau Kleinfeld unterstützt Frau Hesse bei der Erstellung des Monatsberichts.

5a 2. indirekt • 3. unkritisch • 4. konkret • 5. unemotional/rational • 6. unharmonisch/konfliktbereit • 7. höflich • 8. schwierig/schwer

5b 2. direkt • 3. emotional • 4. harmonische • 5. konkret • 6. kritisch • 7. schwierig/schwer (umgangssprachlich) • 8. höflich

5c 2. Störungen • 3. Small Talk • 4. Kommunikationsstil • 5. Ergebnis • 6. Ziel • 7. Konflikte • 8. Gefühl • 9. Kritik • 10. Vorschlag

6a 3. der Urlaubsantrag, ¨e • 4. der Erholungsurlaub, -e • 5. das Urlaubsgeld, -er • 6. der Sommerurlaub, -e • 7. der Urlaubstag, -e • 8. die Urlaubsvertretung, -en • 9. die Urlaubszeit, -en • 10. der Aktivurlaub, -e • 11. der Kurzurlaub, -e • 12. der Wanderurlaub, -e

6b 2. Urlaubsgeld • 3. Aktivurlaub • 4. Jahresurlaub • 5. Kurzurlaub • 6. Urlaubsvertretung • 7. Urlaubsantrag • 8. Erholungsurlaub • 9. Urlaubstage

7 *Mögliche Lösung:* Lieber Herr Stoll,
ich wende mich heute an Sie, weil es ein Problem mit der Urlaubsplanung gibt. Frau Martínez ist vom 30.07. bis 17.08. im Urlaub. Da ich die Urlaubsvertretung von Frau Martínez bin, darf ich in der Zeit keinen Urlaub nehmen. Meine Verwandten kommen aber am 7.8. aus Kanada und ich möchte mit ihnen ein paar Tage verreisen, um ihnen die Region zu zeigen. Deshalb möchte ich vom 8. bis 10.8. Urlaub nehmen. Ich habe schon mit Frau Hesse gesprochen. Sie ist bereit, die Urlaubsvertretung für mich und Frau Martínez zu übernehmen, wenn ich sie anschließend bei der Erstellung der Angebote unterstütze. Wäre es unter der Bedingung möglich, dass ich vom 8. bis 10.8. Urlaub nehmen?
Vielen Dank und viele Grüße, Alexandra Kleinfeld

Lösungen

Grammatik

1a Markierungen: 3. Frau Kleinfeld ist so unzufrieden, dass sie Herrn Stoll um ein Gespräch bittet. • 4. Herrn Stoll ist die Einarbeitung sehr wichtig, sodass er sofort eine Teambesprechung plant.

1b Tabelle:

Hauptsatz	Nebensatz		
2. Aber Frau Hesse hat so wenig Zeit,	dass	sie Frau Kleinfeld nicht	einarbeiten kann.
3. Frau Kleinfeld ist so unzufrieden,	dass	sie Herrn Stoll um ein Gespräch	bittet.
4. Herrn Stoll ist die Einarbeitung sehr wichtig,	sodass	er sofort eine Teambesprechung	plant.

1c 3. Der Architekt Wennigsen ist so bekannt, dass das Büro viele Aufträge bekommt. • 4. Die Zahl der Aufträge ist so stark gestiegen, dass alle Mitarbeiter sehr viel zu tun haben. • 5. /

1d 3. Im Projekt gibt es viele Probleme, sodass das Team viel Stress hat./Im Projekt gibt es so viele Probleme, dass das Team viel Stress hat. • 4. Herr Stoll ist ein guter Teamleiter, sodass er bei den Kollegen sehr beliebt ist./Herr Stoll ist so ein guter Teamleiter, dass er bei den Kollegen sehr beliebt ist. • 5. Frau Kleinfeld hat keine große Berufserfahrung, sodass sie sehr unsicher ist.

2a Markierungen: 1b. Es gibt viele Probleme bei der Einarbeitung. Frau Kleinfeld hat also keinen guten Start. • 2a. Es gibt viele Probleme bei der Einarbeitung. Also ärgert sich Frau Kleinfeld oft. • 2b. Es gibt viele Probleme bei der Einarbeitung. Frau Kleinfeld ärgert sich also oft. • 3a. Es gibt viele Probleme bei der Einarbeitung. Frau Kleinfeld möchte also den Projektleiter sprechen. • 3b. Es gibt viele Probleme bei der Einarbeitung. Frau Kleinfeld möchte ihn also sprechen. • 3c. Es gibt viele Probleme bei der Einarbeitung. Frau Kleinfeld möchte ihm also die Probleme beschreiben.

2b Regel: 2a • 3. Sätze: 2a • 4. Sätze: 1b, 3a • 5b

2c 3. Die anderen Kollegen haben auch keine Zeit, also läuft die Einarbeitung nicht gut./Die anderen Kollegen haben auch keine Zeit, die Einarbeitung läuft also nicht gut. • 4. Frau Hesse erklärt Frau Kleinfeld nicht die Regeln, also kennt Frau Kleinfeld sie nicht./Frau Hesse erklärt Frau Kleinfeld nicht die Regeln, Frau Kleinfeld kennt sie also nicht. • 5. Frau Kleinfeld ist nicht zufrieden, also beschwert sie sich bei Herrn Stoll./Frau Kleinfeld ist nicht zufrieden, sie beschwert sich also bei Herrn Stoll. • 6. Herr Stoll sieht das Problem von Frau Kleinfeld, also schlägt er ihr eine Teambesprechung vor./Herr Stoll sieht das Problem von Frau Kleinfeld, er schlägt ihr also eine Teambesprechung vor.

3a Tabelle:

Hauptsatz	Nebensatz		
2. Frau Hesse ist eine gute Mentorin,	wenn	sie genug Zeit	hat.
3. Herr Kögel bekommt eine Extravergütung,	wenn	er die Software-Einführung	macht.

3b Tabelle:

Nebensatz			Hauptsatz		
2. Wenn	Frau Hesse genug Zeit	hat,	ist		sie eine gute Mentorin.
3. Wenn	Herr Kögel die Software-Einführung	macht,	bekommt		er eine Extravergütung.

3c Markierungen und Sätze: 3. Die Einarbeitung von Frau Kleinfeld funktioniert besser. Alle sind dafür zuständig. → Die Einarbeitung von Frau Kleinfeld funktioniert besser, wenn alle dafür zuständig sind. • 4. Der Praktikant kommt auf die Baustelle mit. Die Handwerker beschweren sich. → Wenn der Praktikant auf die Baustelle mitkommt, beschweren sich die Handwerker.

4a 3. Frau Kleinfeld weiß nicht, wo alles ist. Also muss sie viel fragen. • 4. Herr Klausner hilft Frau Kleinfeld nicht. Also ist er keine Unterstützung. • 5. Die Einarbeitung funktioniert nicht. Also geht es Frau Kleinfeld nicht gut.

4b Markierungen: 2. Frau Hesse hätte mehr Zeit für Frau Kleinfeld, wenn Herr Müller zurückkäme. • 3. Frau Kleinfeld müsste nicht so viel fragen, wenn sie wüsste, wo alles ist. • 5. Frau Kleinfeld ginge es gut, wenn die Einarbeitung funktionieren würde.

4c Tabelle: gehen: Prät.: gingen • **Konj. II:** ginge • **geben: Prät.:** gabst • **Konj. II:** gäbe • gäben • **kommen: Prät.:** kamen • **Konj. II:** käm(e)st • käme • käm(e)t • **wissen: Prät.:** wusstet • **Konj. II:** wüsste • wüsste • wüssten

4d 3. müsste • 4. könnte • erklären würde • 5. einführen würde • wäre • 6. hätten • gäbe • 7. wüsste • würde • erledigen

4e Markierungen: 3. Wenn das Team nicht so viel Arbeit hätte, könnten sich alle besser um die Einarbeitung kümmern. • Hätte das Team nicht so viel Arbeit, könnten sich alle besser um die Einarbeitung kümmern. • 4. Die Arbeitsatmosphäre wäre besser, wenn das Team Frau Kleinfeld mehr unterstützen würde. • Würde das Team Frau Kleinfeld mehr unterstützen, wäre die Arbeitsatmosphäre besser.

4f Tabelle:

Nebensatz		Hauptsatz		
2. Wäre	Frau Kleinfeld zufriedener,	würde		sie sich nicht beschweren.
3. Hätte	das Team nicht so viel Arbeit,	könnten		sich alle besser um die Einarbeitung kümmern.
4. Würde	das Team Frau Kleinfeld mehr unterstützen,	wäre		die Arbeitsatmosphäre besser.

4g Markierungen in 4d: 1. Wenn der Stress nicht so hoch wäre, könnten wir Frau Kleinfeld besser unterstützen. • 2. Ich würde nicht so viele Fehler machen, wenn ich mehr Unterstützung bekäme. • 3. Wenn ich die Aktenstruktur besser kennen würde, müsste ich nicht so viele Fragen stellen. • 4. Ich könnte vieles selbstständig machen, wenn man mir die Abrechnung erklären würde. • 5. Wenn Herr Kögel Frau Kleinfeld in die Software einführen würde, wäre das eine große Hilfe. • 6. Alle hätten mehr Zeit, wenn es weniger Projekte gäbe. • 7. Wenn ich mehr wüsste, würde ich vieles schon alleine erledigen. • **Sätze:** 3. Würde ich die Aktenstruktur besser kennen, müsste ich nicht so viele Fragen stellen. • 4. Würde man mir die Abrechnung erklären, könnte ich vieles selbstständig machen. • 5. Würde Herr Kögel Frau Kleinfeld in die Software einführen, wäre das eine große Hilfe. • 6. Gäbe es weniger Projekte, hätten alle mehr Zeit. • 7. Wüsste ich mehr, würde ich vieles schon alleine erledigen.

4h Markierungen und Sätze: 3. Der Architekt kann das Projekt nicht pünktlich abschließen. Der Bauherr hat ständig neue Ideen. → Der Architekt könnte das Projekt pünktlich abschließen, wenn der Bauherr nicht ständig neue Ideen hätte. • 4. Es gibt ständig neue Änderungen. Die Kosten steigen. → Wenn es nicht ständig neue Änderungen gäbe, würden die Kosten nicht steigen. • 5. Der Architekt ärgert sich. Der Bauherr beschwert sich ständig. → Der Architekt würde sich nicht ärgern, wenn der Bauherr sich nicht ständig beschweren würde.

4i 3. Hätte der Bauherr nicht ständig neue Ideen, könnte der Architekt das Projekt pünktlich abschließen. • 4. Gäbe es nicht ständig neue Änderungen, würden die Kosten nicht steigen. • 5. Würde der Bauherr sich nicht ständig beschweren, würde der Architekt sich nicht ärgern.

5a 1. manche • 2. einigen • 3. manches • 4. einige

5b 2. manche • 3. manches • 4. einiges

6a 2b • 3a • 4a • 5b • 6a

6b Maskulinum (M): derselbe • demselben • Neutrum (N): dasselbe • Femininum (F): dieselbe • derselben

6c 3a • 4b • 5a • 6b

6d 2. dieselben • 3. demselben • 4. denselben • 5. dasselbe • 6. demselben

Kapitel 8

Wortschatz und Schreiben

1a 2. die Reisebranche (kein Pl.) • 3. die Reisebuchung, -en • 4. das Reisebüro, -s • 5. die Reiseplanung, -en • 6. der Reiseveranstalter, – • 7. das Reiseziel, -e

1b 2. schwierig • 3. hart • 4. kompetent • 5. gefährlich • 6. groß • 7. kompliziert • 8. interessant

1c 2. die Herausforderung • 3. reisen • 4. der Vortrag • 5. die Veranstaltung • 6. beraten

1d 2. der Vortragsabend, -e • 3. der Aktionstag, -e • 4. der Zeitungsartikel, – • 5. das Internetangebot, -e • 6. die Kreuzfahrt, -en

2 2. Reisebüros • 3. Angebot • 4. Reiseveranstalter • 5. Konkurrenz • 6. Kunden

3a 2a • 3b • 4b • 5a

3b 2. Gibt es • 3. Könnten Sie mir bitte schreiben, … • 4. Ich fände es gut, … • 5. Ich wäre Ihnen sehr dankbar, …

3c *Mögliche Lösung:* Sehr geehrte Frau Kleinert,
vielen Dank für Ihre Anfrage. Wir haben genau das richtige Angebot für Sie: Ein Anbieter hat ganz neue Clubschiffe, die im Mai bzw. Juni im Mittelmeer oder nach Skandinavien fahren. Auf den Clubschiffen gibt es tagsüber viele Freizeitangebote, abends Partys und Shows. Außerdem gibt es spezielle Angebote für Leute, die allein reisen: So gibt es preiswerte Einzelkabinen sowie Veranstaltungen für Alleinreisende. Bei diesem Anbieter sind Speisen und alkoholfreie Getränke inklusive. Wir hoffen, dass Ihnen das Angebot gefällt. Gern können wir auch einen persönlichen Termin in unserem Reisebüro vereinbaren.
Mit freundlichen Grüßen
Beate Kern

4 2. Ich habe einen Vorschlag entwickelt, mit dem wir die aktuellen Probleme lösen können. • 3. Zunächst möchte ich die Probleme erläutern, die wir im Moment mit der Website haben. • 4. Anschließend zeige ich, wie wir diese Probleme mit einer App lösen können. • 5. Dann stelle ich die App genauer vor. • 6. Zum Schluss informiere ich euch über die Kosten.

5a 2. fragen • 3. zusammenfassen • 4. empfehlen • 5. beantworten • 6. buchen

5b 2. Wie verbringen Sie gern Ihren Urlaub? • 3. Wie sieht denn Ihre Preisvorstellung aus? • 4. Verstehe ich das richtig? • 5. Ich halte alles noch einmal fest: • 6. Ich denke, dass wir ein passendes Angebot für Sie haben. • 7. Passt das Angebot zu Ihren Vorstellungen?

6 2. emotional • 3. analytisch • 4. spontan • 5. kritisch

7 2D • 3A • 4C • 5E • 6B

8 2. Das Schaubild links zeigt • 3. kann man deutlich sehen, dass • 4. sind damit die einzigen Länder • 5. Wahrscheinlich gibt es einen Zusammenhang zwischen • 6. Auf dem Schaubild rechts sieht man • 7. Es könnte sein, dass

Grammatik

1a Markierungen: 2. Obwohl das Internet eine starke Konkurrenz ist, gibt es einen Trend zurück zum Reisebüro. • 3. Zwar gibt es im Internet viele Reiseangebote, aber die Buchung ist teilweise schwierig. • 4. Die Zahl der Reisebüros steigt wieder, dennoch stehen Reisebüros auch in Zukunft vor großen Problemen.

1b Ausgangssituation: obwohl • unerwartete Frage: trotzdem • dennoch

1c Regel: 2. 2. Satz • 3. obwohl • Satzende

1d Markierungen: 1b. Zwar mag Herr Seidel das Meer sehr, eine Kreuzfahrt hat er aber noch nie gemacht. • 2a. Kreuzfahrten sind teuer. Trotzdem möchte Herr Seidel bald eine Reise mit einem Kreuzfahrtschiff machen. • 2b. Kreuzfahrten sind teuer. Herr Seidel möchte trotzdem bald eine Reise mit einem Kreuzfahrtschiff machen. • 3a. Die Freunde von Herrn Seidel buchen ihre Reisen im Internet. Dennoch lädt er sie zum Aktionstag im Reisebüro ein. • 3b. Die Freunde von Herrn Seidel buchen ihre Reisen im Internet. Er lädt sie dennoch zum Aktionstag im Reisebüro ein.

1e 1. davor • 2. Satzmitte • 3. Satzanfang

1f 2. Man braucht zwar Zeit für die Planung einer Individualreise, aber die Mühe lohnt sich./Zwar braucht man Zeit für die Planung einer Individualreise, die Mühe lohnt sich aber. • Man braucht Zeit für die Planung einer Individualreise, dennoch lohnt sich die Mühe./…, die Mühe lohnt sich dennoch. • 3. Flüge nach Hawaii dauern sehr lange, trotzdem möchte Katja bald nach Hawaii fliegen./Katja möchte trotzdem bald … • Obwohl Flüge nach Hawaii sehr lange dauern, möchte Katja bald nach Hawaii fliegen. • 4. Es war zwar anstrengend, den Aktionstag vorzubereiten, aber die Arbeit hat sich gelohnt./Den Aktionstag vorzubereiten, war zwar anstrengend, die Arbeit hat sich aber gelohnt. • Obwohl es anstrengend war, den Aktionstag vorzubereiten, hat die Arbeit sich gelohnt.

2a 2. trotz vieler Angebote • 3. trotz der schönen Reise • 4. trotz des angenehmen Flug(e)s • 5. trotz des interessanten Programms • 6. trotz der lauten Gäste • 7. trotz guter Beratung • 8. trotz eines großen Problems

2b **Markierungen und Sätze:** 3. Obwohl die Kosten hoch sind, entscheiden sich immer mehr Menschen für eine Kreuzfahrt. → Trotz der hohen Kosten entscheiden sich immer mehr Menschen für eine Kreuzfahrt. • 4. Es gibt viele Freizeitaktivitäten. Trotzdem finden manche Gäste die Reise langweilig. • → Trotz vieler Freizeitaktivitäten finden manche Gäste die Reise langweilig. 5. Das Wetter war gut. Dennoch waren ein paar Kunden nach der Kreuzfahrt unzufrieden. → Trotz des guten Wetters waren ein paar Kunden nach der Kreuzfahrt unzufrieden.

3a **Markierungen:** 2. Zu den Reisezielen, die besonders beliebt sind, gehört Mallorca. • 3. Der Freund, mit dem ich die Fernreise machen will, war schon überall auf der Welt. • 4. Bei der Kreuzfahrt, die das Reisebüro anbietet, sind alle Speisen und Getränke inklusive. • 5. Die Mitarbeiter des Reisebüros, das in der Hauptstraße ist, beraten besonders neutral. • 6. Die Urlauber, denen der Stadtspaziergang zu anstrengend ist, können eine Stadtrundfahrt mit dem Bus machen. • 7. Sie können sich das Angebot, das ich Ihnen zusammengestellt habe, noch einmal in Ruhe zu Hause ansehen.

3b **Regel:** 2. Genus • Numerus • 3. Kasus

3c **Tabelle: Maskulinum (M):** dem • **Neutrum (N):** das • das • **Femininum (F):** die • **Plural (M, N, F):** die • denen
Tipp: Dativ

3d 2. die • 3. denen • 4. dem • 5. denen • 6. die • 7. denen • 8. den • 9. der

4a 2. Wie heißt noch mal der Berg, wo der hohe Aussichtsturm steht? • 3. Die Schiffskabine, wo unsere Freunde übernachtet haben, war sehr eng. • 4. Das Seefest in Biel, wo wir letztes Jahr waren, ist sehr schön. • 5. Deutschland ist das Land, wo die Deutschen am liebsten Urlaub machen. • 6. Auf dem Platz, wo das schöne Café liegt, werden jetzt Bäume gepflanzt. • 7. Der Zeltplatz, wo wir dieses Jahr waren, hat eine sehr gute Ausstattung.

4b **Markierungen:** 1b. Brasilien ist das Land, wohin Jakub auswandern möchte. • 2a. Polen ist das Land, aus dem er kommt. • 2b. Polen ist das Land, woher er kommt.
Regel: wohin • woher

4c 2. Griechenland ist ein Land, wohin wir immer wieder gern fahren. • 3. Pedro erzählt von der Stadt, woher seine Familie kommt. • 4. Im Hotel hat man uns viel von einem hübschen Dorf erzählt, wohin wir dann auch gefahren sind. • 5. Morgen besuche ich die Gärtnerei, woher die schönen Blumen kommen. • 6. Das ist das Restaurant, wohin wir immer wieder gern essen gehen.

5a **Markierungen:** 2. Eine Kundin, deren Mann krank ist, möchte die Reise stornieren. • 3. Urlauber, deren Erwartungen sehr hoch sind, sind oft unzufrieden. • 4. Nur ein Reisebüro, dessen Mitarbeiter gut beraten, hat eine Chance gegen die Internet-Konkurrenz.

5b **Neutrum (N):** dessen • **Femininum (F):** deren • **Plural (M, N, F):** deren

5c 2. deren • 3. dessen • 4. deren • 5. deren • 6. dessen • 7. deren • 8. dessen

5d 2. deren • 3. dem • 4. die • 5. den • 6. deren • 7. die • 8. das • 9. der • 10. dem • 11. denen • 12. dessen

6a **Regel:** a

6b **Tabelle: Maskulinum (M):** dem • dessen • **Femininum (F):** deren • **Plural (M, N, F):** denen

6c **Regel:** 1. identisch mit den bestimmten Artikeln • 2. identisch mit den Relativpronomen

6d 2. der • Deren • 3. denen • 4. dem • dessen

Kapitel 9

Wortschatz und Schreiben

1a 2. Absatzgebiet • Angebot • Anfrage • Auftrag • Kalkulation • Wettbewerb • 3. Produkt • 4. Auftrag • 5. Angebot • Produkt • 6. Angebot • Kalkulation • 7. Absatzgebiet • 8. Anfrage • Auftrag

1b 2. Es liegt in Ihrer Verantwortung, unserem Unternehmen neue Absatzgebiete zu erschließen. • 3. Ein Schwerpunkt Ihrer Tätigkeit ist, Kunststoffprodukte international zu vermarkten. • 4. Sie sind dafür zuständig, unseren Logistikpartnern Aufträge zu erteilen. • 5. Ihr Aufgabengebiet umfasst, Kalkulationen und Angebote zu erstellen.

2a 2. die Wirtschaft • 3. der Staat • 4. die Kultur • 5. die Nation • 6. der Beruf • 7. das Fach • 8. die Muttersprache • 9. der Fleiß • 10. der Erfolg • 11. der Kaufmann • 12. das Produkt

2b **Regel:** Nomen

3 1. konfliktbereit • leistungsbereit • verhandlungsbereit • 2. konfliktfähig • leistungsfähig • teamfähig 3. familienfreundlich • umweltfreundlich • 4. leistungsorientiert • teamorientiert • zielorientiert • 5. verhandlungssicher • zielsicher

4a 2. Zuverlässigkeit • 3. Kompetenz • 4. Leistungsbereitschaft • 5. Effektivität • 6. Loyalität • 7. Zielorientierung • 8. Flexibilität

4b **Markierungen und Nomen:** 2. konfliktbereit • die Konfliktbereitschaft • 3. automatisiert • die Automatisierung • 4. effizient • die Effizienz • 5. erreichbar • die Erreichbarkeit • 6. intensiv • die Intensität • 7. globalisiert • die Globalisierung • 8. neutral • die Neutralität • 9. teamfähig • die Teamfähigkeit • 10. bereit • die Bereitschaft

5 2. Industriekaufmann • 3. Berufserfahrung • 4. Fachberater • 5. Betriebswirt • 6. Weiterbildung

6a *Mögliche Lösung:* 2. Ich habe mich auf die Stelle beworben, weil (ich mich beruflich weiterentwickeln möchte.) • 3. Es war mir wichtig, mich weiterzubilden, daher (habe ich letztes Jahr eine Fortbildung zum Fachberater im Vertrieb gemacht.) • 4. Derzeit bin ich in der (Marketing)abteilung eines Industrieunternehmens tätig. • 5. Ich bin überzeugt, dass ich für die Stelle geeignet bin, weil (ich bereits viel Erfahrung in diesem Bereich habe.) • 6. In Ihrer Ausschreibung fordern Sie, dass (man bereit ist, auf Geschäftsreisen zu gehen.) • 7. Nach meiner Ausbildung zur (Kauffrau für Marketingkommunikation) habe ich bei (einem Handelsunternehmen) gearbeitet. • 8. Nun komme ich zum letzten Teil meines kleinen Vortrages: (zu meinen beruflichen Plänen.)

6b 1. FUNTOURS • 2. Kostenkalkulation der Reiseangebote • 3. Fachwirtin für Tourismus • 4. Kaufmann Reisen

6c *Mögliche Lösung:* Guten Morgen, meine Damen und Herren. Zu Beginn meiner Präsentation möchte ich mich Ihnen kurz vorstellen: Mein Name ist Bianca Schuller. Nach meiner Ausbildung zur Tourismuskauffrau habe ich bei „Kaufmann Reisen" gearbeitet. Es war mir wichtig, mich weiterzubilden, daher habe ich eine Weiterbildung zur Tourismusfachwirtin gemacht und habe im Jahr 2015 die Prüfung zur Fachwirtin für Tourismus abgelegt. Derzeit arbeite ich bei dem Reiseveranstalter Funtours. Dort bin ich für die Kostenkalkulation der Reiseangebote zuständig.

7 2. frei • 3. ausführlich • 4. Lebenslauf • 5. Aufgaben • 6. Soft Skills • 7. Stellenausschreibung • 8. sachlich • 9. Begeisterung • 10. Körpersprache • 11. Zeit

8 2. Station • 3. Eignung • 4. Schwerpunkte • 5. Erfolge • 6. Profil

9 2c • 3c • 4b • 5a • 6b • 7a • 8b • 9a • 10c

Grammatik

1 **Sätze:** 2. Wenn ein wichtiger Kunde bei uns zu Gast ist, organisieren wir für ihn eine Werksbesichtigung. • 3. Hätten Sie Zeit für ein kurzes Meeting, wenn Sie im Frühjahr die Hannover Messe besuchen? • 4. Machen Sie sich beim Gespräch Notizen, wenn Sie ein Kundengespräch führen. •
Einmal: Sätze 3 • **Jedes Mal:** Sätze 2, 4

2a **Markierungen:** 2. Als Feddersen die Stelle im Controlling neu besetzte, gab es viele Bewerbungen. • 3. Wenn Phong ein Vorstellungsgespräch hatte, war er immer sehr aufgeregt. • 4. Er bekam die Zusage, als das Gespräch zu Ende war.
Regeln: 1a • 2b

2b 2. Als ich mit meiner Präsentation beginnen wollte, klingelte das Smartphone der Assistentin. • 3. Wenn meine Antwort der Personalchefin nicht ganz klar war, fragte sie immer nach. • 4. Als sie mir eine Tätigkeit in Asien anbot, musste ich nicht lange überlegen. • 5. Wenn sie sehr persönliche Fragen stellte, antwortete ich jedes Mal nur indirekt.

3a **Markierungen:** 2. Die Kunststoffproduktion konnte gesteigert werden. Der Hersteller hatte den Standort ausgebaut. • 3. Feddersen hatte den Markt in China erschlossen. Die Akro-Plastic GmbH eröffnete dort eine Fertigung. • 4. Die Produktion war zu klein geworden. Das Unternehmen zog 2010 in eine neue Fertigungshalle.

3b 2. Die Kunststoffproduktion konnte gesteigert werden, nachdem der Hersteller den Standort ausgebaut hatte. • 3. Nachdem Feddersen den Markt in China erschlossen hatte, eröffnete die Akro-Plastic GmbH dort eine Fertigung. • 4. Nachdem die Produktion zu klein geworden war, zog das Unternehmen 2010 in eine neue Fertigungshalle.

3c 2. Als der Hersteller den Standort ausgebaut hatte, konnte die Kunststoffproduktion gesteigert werden. • 3. Als Feddersen den Markt in China erschlossen hatte, eröffnete die Akro-Plastic GmbH dort eine Fertigung. • 4. Als die Produktion zu klein geworden war, zog das Unternehmen 2010 in eine neue Fertigungshalle.

3d 2b

4a 2. wenn Sie ein Kind bekommen haben • 3. wenn Sie an einen anderen Ort umgezogen sind • 4. wenn Sie eine weitere Beschäftigung gefunden haben • 5. wenn sich Ihr Familienstand geändert hat

4b **Regeln:** 1. Plusquamperfekt • 2. Perfekt

4c 3. auf Dienstreise bin • 4. geschrieben hast • 5. ankommt • 6. geprüft haben

5a 2. Bevor ich Ihnen zusage, brauche ich ein wenig Zeit zum Überlegen. • 3. Haben Sie die Bewerbung auf Fehler geprüft, bevor Sie sie abgeschickt haben? • 4. Bevor der Personalchef und der Abteilungsleiter eine Entscheidung trafen, diskutierten sie lange über die Bewerber.

5b **Regeln:** 1b • 2a

6 3. Während Sie für uns im Ausland sind, übernehmen wir alle Flugkosten für Besuche im Heimatland. • 4. Ich habe mehrere Dienstreisen nach Dänemark gemacht, während ich für die ABS GmbH tätig war. • 5. Schalten Sie den Computer nicht aus, während die Software installiert wird.

7a 2a • 3a • 4b • 5a

7b 2. während • 3. vor • 4. während • 5. nach

8a 2. Nachdem sie ein Praktikum in einem Labor gemacht hatte, war ihre Entscheidung klar: Laborassistentin. • 3. Während sie im Internet recherchierte, fand sie Informationen zum dualen Studium in Kaiserslautern. • 4. Als sie ihre Ausbildung abgeschlossen hatte, suchte sie sich eine Stelle in einem Krankenhaus. • 5. Denn sie will Berufserfahrung sammeln, bevor sie mit dem Masterstudium „Biowissenschaften" beginnt.

8b **Tabelle: vor Hauptsatz: Beispiel-Satz Nr.:** 2, 4 • **Konnektor im Nebensatz:** nachdem • **nach Hauptsatz: Beispiel-Satz Nr.:** 5 • **Konnektor im Nebensatz:** bevor • **gleichzeitig: Beispiel-Satz Nr.:** 3 • **Konnektor im Nebensatz:** während

8c 1. Satz: 5 • 2. Satz: 4 • 3. Satz: 2 • 4. Satz: 3

8d 2. Nach einem Praktikum in einem Labor war ihre Entscheidung klar: Laborassistentin. • 3. Während ihrer Recherche im Internet fand sie Informationen zum dualen Studium in Kaiserslautern. • 4. Nach dem Abschluss der Ausbildung suchte sie sich eine Stelle in einem Krankenhaus. • 5. Vor dem Masterstudium „Biowissenschaften" will sie Berufserfahrung sammeln.

9 3. Machen Sie nach der Begrüßung ein bisschen Small Talk. • 4. Nachdem Sie sich vorgestellt haben, können Sie Ihre aktuelle berufliche Situation beschreiben. • 5. Denken Sie daran, die Zuhörer während des Vortrags anzuschauen. • 6. Versuchen Sie, während Sie sprechen, Ihre Körpersprache zu kontrollieren. • 5. Bedanken Sie sich für die gute Atmosphäre, bevor Sie sich verabschieden.

10 3. Nach • 4. danach • 5. als • 6. Bevor • 7. vor • 8. während

11a **Tabelle:** wirst • wird • werden • werdet • werden • werden

11b 2. leiten wirst • 3. werden • zusenden • 4. werden • schaffen • sehen wird • 5. verlassen werdet

12 2. Wie werden wir mit den Herausforderungen der Zukunft umgehen? • 3. Werden wir die Erwartungen unserer Kunden auch in Zukunft erfüllen können? • 4. Wie lange werden unsere Produkte Abnehmer finden? • 5. Wird die Qualität unserer Erzeugnisse weiter steigen? • 6. Werden wir mit unseren Entwicklungen neue Marktanteile gewinnen? • 7. Wird die nächste Generation das Unternehmen erfolgreich weiterführen? • 8. Wie lange werden wir mit unserem Geschäftsmodell Erfolg haben?

Kapitel 10

Wortschatz und Schreiben

1a 2. Wir suchen einen Kundenberater/eine Kundenberaterin. • 3. Sie haben eine abgeschlossene Berufsausbildung als Reisekaufmann/Reisekauffrau. • 4. Sie informieren und beraten unsere Kunden über aktuelle Angebote und erfassen Reisebuchungen. • 5. Wir setzen verhandlungssicheres Englisch und sehr gute Kenntnisse in EDV voraus. • 6. Der freundliche Umgang mit unseren Kunden ist für Sie selbstverständlich. • 7. Sie verfügen über hohe Flexibilität und arbeiten selbstständig. • 8. Bitte senden Sie Ihre Bewerbungsunterlagen per E-Mail an Herrn/Frau …

1b 2. einen Kundenberater/eine Kundenberaterin • 3. per E-Mail • 4. Wir sind ein modernes Reisebüro. • 5. Modern Reisen GmbH • 6. baldmöglichst • 7. Sie arbeiten selbstständig. • 8. für unsere Niederlassung in Chemnitz • 9. Sie erfassen Reisebuchungen. • 10. Wir bieten ein attraktives Gehalt. • 11. Sie haben eine abgeschlossene Berufsausbildung als … • 12. hr@modern-reisen.com

2 **Persönliche Angaben: Name:** Claus Christiansen • **Adresse:** Benzstraße 117, 67346 Speyer • **Mobil:** 0170/7777111 • **E-Mail:** c.christiansen@xpu.com • **Familienstand:** geschieden, zwei Kinder • **Berufserfahrung: seit 01/2012:** Sport und Spiel Agentur Speyer, Marketingleiter • **04/2009–07/2009:** Great Marketing Agency Manchester, Praktikum • **Ausbildung und Studium: 10/2006–02/2009:** Universität Mannheim, Masterstudium in Management, Abschluss: Master in Management, M.Sc. • **10/2003–07/2006:** Universität Mannheim, Studium der Betriebswirtschaftslehre, Abschluss: B.Sc. • **06/2003:** Thomas-Mann-Gymnasium in Neustadt, Abschluss: Abitur • **Fort-/Weiterbildung:** Liverpool Language School: Business English Training Course Telefonmarketing • **EDV-Kenntnisse:** gute Kenntnisse in MS Office • **Sprachkenntnisse:** Englisch C1 • Französisch B2 • **Interessen und Hobbys:** Tennis • Theater

3 3. die Qualifikation, -en • 4. die Tätigkeit, -en • 5. die Reklamation, -en • 6. die Öffentlichkeit, -en (Pl. selten) • 7. die Voraussetzung, -en • 8. die Selbstständigkeit (kein Pl.) • 9. die Ruhe (kein Pl.) • 10. die Organisation, -en • 11. die Erfassung, -en (Pl. selten) • 12. die Verwaltung, -en • 13. die Freundlichkeit, -en • 14. die Herausforderung, -en • 15. der Abschluss, ¨e • 16. die Kenntnis, -se

4a 2B • 3F • 4C • 5G • 6A • 7D

4b 3. in Teilzeit • 4. kundenorientiert • 5. baldmöglichst • 6. die Arbeitsweise • 7. die Ausbildung • 8. wünschenswert • idealerweise • 9. in Vollzeit • 10. belastbar • 11. umfangreich • 12. vertraut mit

4c 2. Sie suchen eine Mitarbeiterin, die Ihr Team in Freiburg in Vollzeit unterstützt. • 3. Ich verfüge über einen Hochschulabschluss in Tourismus und habe vier Jahre Berufserfahrung im Hotelmanagement. • 4. Zu meinen Eigenschaften zählen Belastbarkeit und hohe Flexibilität. • 5. Wie Sie meinen Zeugnissen im Anhang entnehmen können, arbeite ich selbstständig und teamorientiert. • 6. Moderne Arbeitsmethoden im Kundenservice und aktuelle EDV-Systeme sind mir sehr vertraut. • 7. Ich bin vor vier Monaten aus persönlichen Gründen nach Deutschland umgezogen und bin zurzeit auf Arbeitssuche. • 8. Für weitere Auskünfte stehe ich Ihnen gern in einem persönlichen Gespräch zur Verfügung.

4d *Mögliche Lösung:* Hiermit bewerbe ich mich um die Stelle als Krankenpflegerin in Ihrer Privatklinik in Bad Godesberg. Sie suchen eine Mitarbeiterin, die Ihr Team bei allen Aufgaben in der stationären Abteilung in Vollzeit unterstützt und administrative Aufgaben übernimmt. Ich verfüge über einen Hochschulabschluss in Krankenpflege von der Escola Superior de Enfermagem de Coimbra und habe drei Jahre Berufserfahrung als Krankenpflegerin im Krankenhaus Coimbra, Portugal. Zu meinen Eigenschaften zählen Belastbarkeit, Kommunikationsfähigkeit und hohe Flexibilität. Wie Sie meinen Zeugnissen im Anhang entnehmen können, arbeite ich service- und teamorientiert. Außerdem sind mir moderne Arbeitsformen in der Pflege und aktuelle EDV-Systeme sehr vertraut. Ich bin vor zwei Monaten aus persönlichen Gründen nach Deutschland umgezogen und bin zurzeit auf Arbeitssuche, daher könnte ich die Stelle sofort antreten. Für weitere Auskünfte stehe ich Ihnen gern in einem persönlichen Gespräch zur Verfügung.

Grammatik

1a **Markierungen:** 3a. Die Kundenrechnungen zu bezahlen, hatte für unsere Abteilung höchste Priorität. • 3b. Die Bezahlung der Kundenrechnungen hatte für unsere Abteilung höchste Priorität. • 4a. Zu meiner Zuständigkeit gehörte, ein Konzept für die Lagerorganisation zu entwickeln. • 4b. Zu meiner Zuständigkeit gehörte die Entwicklung eines Konzepts für die Lagerorganisation. • 5a. Eine meiner Hauptaufgaben war, Lieferverträge zu erstellen. • 5b. Eine meiner Hauptaufgaben war die Erstellung von Lieferverträgen. • 6a. Ich war dafür verantwortlich, neue Absatzgebiete zu erschließen. • 6b. Ich war für die Erschließung neuer Absatzgebiete verantwortlich.

1b **Regeln:** 1. 3, 4, 6 • 2. 5

1c 2. Ich war für die Verbesserung der Produktionsprozesse verantwortlich. • 3. Von uns wurde die Entwicklung neuer Organisationsmodelle erwartet. • 4. Zu meinen Aufgaben zählte auch die Kalkulation von Angeboten. • 5. In dieser Zeit war meine wichtigste Tätigkeit der Aufbau eines Vertriebsnetzes für Italien. • 6. Ich war für die Schulung des Kundenservices zuständig. • 7. Eine meiner Hauptaufgaben war die Planung und Organisation von Messeauftritten. • 8. Mein Team kümmerte sich um die Konzeption einer Werbekampagne für die neue Produktserie.

2a 3. Wenn • 4. wenn • 5. wenn • 6. wann • 7. wann

2b 3. Wenn • 4. Als • 5. als • 6. wenn

3a 2a • 3b • 4a • 5a • 6b • 7b

3b 3. wann • 4. wenn • 5. wann • 6. als • 7. ob • 8. Als • 9. ob • 10. Als • 11. wenn • 12. wann

4a **Reihenfolge und Sätze:** 3. 2 • 1 → Seitdem/Seit ich meinen Bachelor abgeschlossen habe, suche ich eine Stelle. • 4. 1 • 2 → Seitdem/Seit Frau Schwarzenberger Abteilungsleiterin ist, bekommt sie ein höheres Gehalt. • 5. 1 • 2 → Seitdem/Seit unser Sohn ein Auslandsjahr in Großbritannien gemacht hat, ist sein Englisch viel besser. • 6. 2 • 1 → Seitdem/Seit Herr Köster einen neuen Aufgabenbereich übernommen hat, ist er viel motivierter.

4b **Reihenfolge und Sätze:** 3. 1 • 2 → Ich habe mehrere Jahre gebraucht, bis ich fließend Italienisch sprechen konnte. • 4. 2 • 1 → Bis eine Leitungsstelle im Vertrieb frei wurde, musste Herr Ludwig lange warten. • 5. 1 • 2 → Andrea will Elternzeit nehmen, bis ihr Sohn zwei Jahre alt ist.

4c 2. Seitdem / Seit • 3. bis • 4. seitdem / seit • 5. Bis

5a **Markierungen:** 3a. Martina wohnt noch bei uns, bis ihre Ausbildung beginnt. • 3b. Martina wohnt bis zum Beginn ihrer Ausbildung noch bei uns. • 4a. Seitdem Frau Wecker auf einer Dienstreise den Autounfall hatte, hat sie oft Rückenschmerzen. • 4b. Seit dem Autounfall auf einer Dienstreise hat Frau Wecker oft Rückenschmerzen.

5b 2. Seit unserem Firmenjubiläum • 3. Seit dem Abschluss meines Studiums / Seit meinem Studium • 5. Bis zum Beginn des Meetings / Bis zum Meeting • 6. Bis zum Ende der Messe

5c **Markierungen und Sätze:** 2. Seitdem Frau Weber einen Termin bei der Arbeitsagentur hatte, hat sie drei Stellenangebote bekommen. → Seit einem Termin bei der Arbeitsagentur hat Frau Weber drei Stellenangebote bekommen. • 3. Seitdem ich im Mai das Vorstellungsgespräch hatte, habe ich nichts mehr von der Firma gehört. → Seit dem Vorstellungsgespräch im Mai habe ich nichts mehr von der Firma gehört. • 4. Seitdem wir die Teambesprechung hatten, ist das Arbeitsklima viel besser. → Seit der Teambesprechung ist das Arbeitsklima viel besser.

5d **Reihenfolge und Sätze:** 3. 1 • 2 → Seit meiner Bewerbung bei der Elara GmbH sind schon drei Monate vergangen. • 4. 2 • 1 → Seit dem Besuch eines Bewerbungtrainings habe ich meine Bewerbungsstrategie geändert. • 5. 2 • 1 → Seit ihrem / dem Wechsel in eine andere Abteilung hat Janine sehr viel Stress.

5e **Reihenfolge und Sätze:** 3. 1 • 2 → Bitte bleiben Sie noch bis zum Ende der Prüfung sitzen. • 4. 2 • 1 → Bis zu unserem nächsten Termin brauche ich noch Ihre Zeugnisse. • 5. 2 • 1 → Bis zu meiner Registrierung bei mehreren Jobbörsen war meine Stellensuche erfolglos. • 6. 1 • 2 → Bis zur Genehmigung des Antrags hat es drei Monate gedauert.

5f 2. Seit • 3. Bis zu • 4. Bis zum • 5. bis zur • 6. Seit • 7. seit • 8. bis zum

6a 2. Nachdem • 3. Während • 4. Bevor • 5. Nachdem • 6. Bevor • 7. Während

6b 2. Nach dem Ende ihres Studiums / Nach ihrem Studium bewarb sich Frau Freese sofort bei mehreren IT-Unternehmen. • 3. Während eines Auslandssemesters an der Universität Bologna lernte Anna dort ihren späteren Mann kennen. • 4. Vor Beginn seines Studiums / Vor seinem Studium arbeitete Max ein Jahr lang auf einem Kreuzfahrtschiff. • 5. Nach fünf Jahren in der Buchhaltung suchte Herr Schulz eine neue berufliche Herausforderung. • 6. Vor einem Kundentermin sollte man sich gut vorbereiten. • 7. Während eines Vorstellungsgesprächs sollte das Handy aus sein.

Bildquellen

Cover © Cadalpe/ImageSource; **8** iStockphoto (aelitta), Calgary, Alberta; **11** Thinkstock (AVD88), München; **14** Thinkstock (kasto80), München; **18** Thinkstock (Liquidlibrary), München; **20** iStockphoto (firina), Calgary, Alberta; **24** iStockphoto (gilaxia), Calgary, Alberta; **26** Thinkstock (Askold Romanov), München; **29.1** Shutterstock (Africa Studio), New York; **29.2** Shutterstock (cloki), New York; **29.3** Thinkstock (maxsattana), München; **29.4** Thinkstock (Wavebreakmedia Ltd), München; **31** Shutterstock (Alexander Raths), New York; **33** Thinkstock (AndreyPopov), München; **35** Thinkstock (Hin255), München; **36** Thinkstock (Thomas-Soellner), München; **41** Thinkstock (Dorling Kindersley), München; **42** Shutterstock (wavebreakmedia), New York; **43** Shutterstock (Tortuga), New York; **45** Thinkstock (ihorzigor), München; **48.1** Thinkstock (Kenishirotie), München; **48.2 – 48.6** Thinkstock (RedKoalaDesign), München; **50** Thinkstock (alexjuve), München; **54** Thinkstock (Stockbyte), München; **56** iStockphoto (poba), Calgary, Alberta; **59** iStockphoto (pcruciatti), Calgary, Alberta; **60** Thinkstock (Wolfgang Rieger), München; **63.1** Thinkstock (Givaga), München; **63.2** Thinkstock (adekvat), München; **63.3** Thinkstock (cretolamna), München; **64** iStockphoto (tostphoto), Calgary, Alberta; **66** Shutterstock (pcruciatti), New York; **68.1** Thinkstock (green_casius), München; **68.2** Shutterstock (Dmitry Kalinovsky), New York; **68.3** Thinkstock (alessandroguerriero), München; **68.4** Fotolia.com (auremar), New York; **68.5** Thinkstock (AndreyPopov), München; **72** Thinkstock (AndreyPopov), München; **74** Dreamstime.com (Alexander Kharchenko), Brentwood, TN; **76** Thinkstock (tiler84), München; **78.1** Thinkstock (SolisImages), München; **78.2** Shutterstock (goodluz), New York; **81** Thinkstock (IvonneW), München; **83** iStockphoto (Geber86), Calgary, Alberta; **84** iStockphoto (BongkarnThanyakij), Calgary, Alberta; **89.1** Thinkstock (Rawpixel Ltd), München; **89.2** Thinkstock (Steve Mason), München; **91.1 – 91.4** Thinkstock (MonikaBeitlova), München; **93** Thinkstock (TammeW), München; **94** Thinkstock (Rawpixel), München; **96** iStockphoto (aflor), Calgary, Alberta; **99** Thinkstock (Biletskiy_Evgeniy), München; **100** Thinkstock (panic_attack), München; **102.1 – 102.2** Thinkstock (-1001-), München; **105** Thinkstock (gzorgz), München; **109** iStockphoto (Neustockimages), Calgary, Alberta; **110** Thinkstock (kunertus), München; **111** iStockphoto (pixelfit), Calgary, Alberta; **113** Thinkstock (number1411), München; **114** iStockphoto (PeopleImages), Calgary, Alberta